A 1ST YEAR LATIN READER

A NEW LATIN PRIMER
BY MIMA MAXEY AND MARJORIE FAY

ILLUSTRATIONS BY
RUTH UPHAM

ENCHIRIDION
PRESS

ENCHIRIDION PRESS
www.enchiridionpress.com

First published in 1933 by
D.C. Heath and Company

This edition published in 2017 by
Enchiridion Press

Cover design © 2017 by Enchiridion Press

ISBN-10: 1-946943-02-9
ISBN-13: 978-1-946943-02-6

AUTHORS' FOREWORD

The credo upon which this book is constructed runs somewhat as follows:

Things exist written in the Latin language that are worth reading today. Latin should be so taught as to develop power to read those things in Latin.

One learns to read by reading.

Material for reading in the early stages should be easy and repetitious, and should introduce new vocabulary in self-evident situations.

The acquisition of the language itself is a sufficiently large task for the beginner. He should not be called upon to deal with situations outside of his own experience or to acquire knowledge through the new medium; neither should his problem be complicated by the necessity of learning a formidable grammatical nomenclature or a science of grammar that the Romans themselves managed to do without until its introduction by Dionysius Thrax, who was born 166 B.C.

Omission of formal grammar need not result in inaccurate or incorrect Latin. A tendency to inexactness can be corrected by much oral reading of Latin and by writing in Latin.

This translation of this credo into a beginner's book is characterized by certain definite features:

Vocabulary.—Vocabulary has been chosen on the principle that words most frequently used in Latin literature should appear early and should be repeated often. Lodge's *Vocabulary of High School Latin* (Columbia University: Teachers College, 1912) has been used to determine frequency. Words have been divided into seven classes:

Class I.—Words appearing 1,000 times or more in the passages usually read in high schools. These words are all introduced early and repeated often in these lessons.

Class II.—Words occurring 500–999 times. These words appear early and often.

Class III.—Words occurring 100–499 times. In this group *nē* is omitted because the subjunctive does not appear in these lessons.

Class IV.—Words occurring 50–99 times. This group is largely used.

Class V.—Words occurring 25–49 times. 106 words from this list appear.

Class VI.—Words occurring 5–24 times. 173 of these words are used.

Class VII.—Words not on Lodge's list of 2,000 words. 73 of these are used, largely in the first lessons to get familiar situations.

A total of 554 words is used in the forty lessons. After the first lessons, each word is introduced in a setting that makes its interpretation possible by reading alone. Every word is repeated in successive chapters and frequently in later chapters.

That the expression "interpretation by reading alone" may not be misunderstood, by way of illustration the following excerpt *The Comic Latin Grammar* ([Hartford: Edwin Valentine Mitchell], p. 12) is added, with blanks in place of words that have been omitted: "The truth is that people are .... of crying and find it much more agreeable to .... The sublime is out of ....; the .... is in vogue. A turn-up nose is now a more interesting object than a .... collar."

Anyone who can read English at that level can supply the first four blanks easily. Anyone who can read English and has the same humorous slant as the author can supply the last. An unfamiliar word can be interpreted as easily as the blank.

For the convenience of the teacher, the basic vocabulary of each lesson is appended at the end of the book and is divided into the classes mentioned above.

Omissions.—The omission of paradigms and other grammatical material is intentional. Form and usage are learned from repetitious reading, dictation, and imitation.

The omission of rules of pronunciation is intentional. Pronunciation is learned by imitation and practice.

The omission of classical flavor is intentional. This may be supplied by reading such a book as *Julia* by Reed (Macmillan & Co.), as supplementary reading after the pupil is reading with some ease (e.g., after Lesson X; the exact point depends on the class).

Procedure.—This material, which is thoroughly tried material, is used by the authors for initial reading with no preceding approach.

Tried dictation and dictation-imitation lessons are appended. Writing should not be done until material is thoroughly familiar. When the pupil has heard and himself reproduced orally with accuracy Latin that he understands directly, he should have practice in writing. This should consist of dictation, in which the only demand upon the pupil is understanding and accurate reproduction of what he hears; of a combination of dictation that sets a pattern, and imitation of the pattern, by which he learns form and usage in terms of function; and of free writing in which he expresses himself directly and gains a sense of power over the new medium.

A set of topics for free writing is appended.

A list of suggested books for English reading is appended. Pupils are encouraged to read widely in English outside of class that they may gain acquaintance with Roman materials for their next reading.

The authors take this means of expressing their gratitude to those who have made this volume possible. They are especially grateful to Professor C. H. Judd, director of the Laboratory Schools; to Professor H. C. Morrison, professor of education, who was superintendent of the Laboratory Schools at the time the work was begun; to Messrs. Reavis, Woellner, Dewey, and Loomis, principals of the University High School; and to Miss Elsie M. Smithies, head of the Department of Latin in the University High School, for the opportunity to try out ideas and test material.

THE AUTHORS' FOREWORD TO THE PUPILS

Attendite, discipulī! Our age has been called the "age of invention." When we think of the wonderful part that modern inventions play in our lives, we are sure that the name is a good one. More important, however, than any two of these modern inventions that you can choose are two very old inventions, the invention of speech and the invention of writing. Today we find many languages that have grown out of that original invention of speech which are very different from each other. When we read a language other than our own, then, we are dealing with the expression of people who are different from us, and we are really looking into their minds. When we do this it is a real adventure, for, you know, a person's mind is the most interesting thing about him. When the people whose language we read is one that was at the height of its power almost two thousand years ago, the adventure is even greater. These Latin lessons are to start you out on that intellectual adventure. We hope that it will be one that you will enjoy. *Valēte, discipulī.*

TABLE OF CONTENTS

Salvē, discipula. Salvē, magistra. Salvē, discipule. Salvē, magister. Salvēte, discipulī. Valē, discipula. Valē, magistra. Valēte, discipulī.

Hic est discipulus.

Haec est discipula.

Hic est puer.

Haec est puella.

Hae sunt puellae.

Hī sunt puerī.

Haec est magistra.
"Salvēte, discipulī, puerī et puellae."

Puer est discipulus.
Puella est discipula.
Hae sunt discipulae.
Hī sunt discipulī.

Haec est puella.
Magistra nōn est puella.
Magistra est fēmina.

Haec est magistra. Haec est fēmina. Haec est puella. Haec puella est discipula. Haec puella nōn est magistra.

Haec puella est parva. Haec puella nōn est parva; haec puella est magna.

Haec puella nōn est parva; haec puella est alta.

Haec puella est bona. Fēmina quoque est bona.

Haec puella nōn est bona.

Haec puella est magna. **Magistra** quoque est magna.

Haec puella est parva.
Puella est pulchra quoque.

Hīc sunt fēmina et puer et puella. (Sunt hīc; hīc nōn sunt.)
Haec fēmina est māter; hic puer est fīlius et haec puella est
fīlia fēminae. Māter est magna, sed fīlius et fīlia sunt parvī.
Haec māter est bona māter. Haec māter nōn est mea māter;
nōn est tua māter; est māter puerī et puellae. Haec puella est
soror puerī. Hic puer est frāter puellae. Hic puer puellam
amat. Haec māter fīliam amat. Haec puella magistram amat
et magistra puellam amat.

Fīlium et fīliam fēminae amō. Mātrem puerī et puellae
amō. Mātrem meam quoque amō. Sorōrem et frātrem et
mātrem amō. Magistram amō. Estne fēmina, puella, māter
tua?

Ita. Māter mea est.

Haec puella nōn est soror mea. Soror puerī est. Hic frāter
est frāter puellae; nōn est frāter meus. Haec fēmina nōn est

māter mea, sed fēminam amō. Estne haec magistra māter tua?

Māter mea nōn est.

Fīlius fēminae est discipulus bonus, et magistra puerum amat. Nunc discipula nōn est bona. Nunc magistra discipulam nōn amat.

MAGISTRA: Puellam parvam amō.

PUELLA: Et magistram amō.

MAGISTRA: Māter quoque puellam amat. Amāsne puellam?

DISCIPULA: Ita. Puellam amō.

Valēte, discipulī.

Valē, magistra.

Salvē, puella.   Haec est magistra; nōn est magister. Estne magistra tua bona?

Ita. Bona est.

Estne frāter tuus discipulus bonus?

Frāter meus est bonus et magnus et altus, sed nōn est pulcher. Soror mea et frāter meus sunt discipulī magistrae bonae.

Valēte, discipulī.

LESSON III

Fēmina: Salvēte, puer et puella. Hic est fīlius meus; haec est fīlia mea.

Puer: Haec est māter mea; haec est soror mea.

Puella: Haec est māter mea et hic est frāter meus.

Fēmina: Amāsne magistram, puer?

Puer: Ita. Magistram meam amō.

Fēmina: Estne magistra tua hīc?

Puer: Nunc hīc nōn est.

Fēmina: Amāsne magistram tuam, puella?

Puella: Ita. Magistra est bona et magistram bonam amō.

America est patria mea. Americam amō. America est terra magna. America nōn est īnsula. Britannia est īnsula, Hibernia est īnsula, Sicilia est īnsula, Cuba est īnsula. Italia quoque nōn est īnsula. Italia nōn est patria mea sed Italiam amō. Amāsne Italiam? Amāsne Britanniam?

America nōn est īnsula; est terra magna. Italia et Hispānia nōn sunt terrae magnae sed nōn sunt īnsulae. America est patria mea, sed Italia nōn est patria mea et Britannia nōn est patria mea. America est patria mea et fāma Americae est magna et fortūna Americae est bona. Americam et fāmam Americae et fortūnam Americae amō.

Haec via est longa. Haec via est via bona et pulchra. Nova quoque est haec via. Haec via nōn est via antīqua. Hīc viae nōn sunt antīquae. Viae sunt novae. Viam longam amō. Amatne soror tua viam longam? Amatne frāter viam longam? Amāsne viam longam?

7

VIA APPIA

Haec via est via antīqua; nōn est via nova. Italia est terra magna; nōn est īnsula. Sunt longae viae in Italiā. Hae viae sunt antīquae quoque. Sed nunc viae bonae sunt. Fāma Italiae est magna. Fortūna Italiae nōn est bona. Italia nōn est patria mea. America est patria mea. Estne America patria tua? Ita. America est patria mea.

Quis est haec? Puella est haec; magistra haec nōn est.
Quis est haec puella? Iūlia est haec puella.
Ubi est Iūlia? In viā est Iūlia.
Quid habet Iūlia? Epistulam habet Iūlia.
Cūr habet Iūlia epistulam? Iūlia epistulam habet quod māter Iūliae hīc nōn est. Māter est in Britanniā. Nunc Iūlia

epistulam portat et laeta est. Nunc Iūlia in viā epistulam
portat. . . . . Nunc Iūlia in casā est. Epistula est longa.
Cūr Iūlia nōn est in scholā? Nōn intellegō.

PUER: Salvē, soror.
PUELLA: Salvē, frāter.
PUER: Estne māter hīc?
PUELLA: Nunc hīc māter nōn est. Quid cupis?
PUER: Mātrem cupiō. Valē.
PUELLA: Valē.

Quis est hic? Agricola est hic. Agricola fīliam pulchram
habet et fīliam amat. Fīlium quoque habet. Fīlius agricolae
est magnus et labōrat. Sed fīlia nōn est magna; est parva.
Fīlia in casā labōrat; fīlius in agrō labōrat. Agricola quoque
in agrō labōrat. Fīlia in agrō nōn labōrat et haec est causa:
quod est puella et puella parva. Fortūna agricolae nōn est
magna sed fīlia parva in agrō nōn labōrat. In casā labōrat et
cēnam parat. Agricola est laetus quod fīlia cēnam parat. Cēnam cupit. Ubi est agricola nunc? In viā est. Quid portat?
Nōn intellegō.

LESSON V

Quis est hic vir? Hic vir est nauta. Nauta est amīcus agricolae. Vir altus et magnus est. Nauta agricolam amat et agricola nautam amat. Nauta labōrat sed nōn in agrō. In terrā nōn labōrat. Estne nauta Americānus? Ita. Hic vir saepe in terrā est. Nōn semper in terrā est. Interdum in casā agricolae est. Intellegisne? Ita. Agricola hunc amīcum amat et saepe nautam laudat quod nauta bonus est. Fīlius et fīlia agricolae quoque nautam vidēre cupiunt, quod vīta nautae est perīculōsa. Hic nauta multās terrās videt quod nōn est semper in Americā. Aquam saepe videt quod est nauta. Aqua saepe est perīculōsa. Interdum nauta aquam vidēre nōn cupit. Italiam et Hispāniam et Britanniam videt sed nōn est Italus; nōn est Hispānus; nōn est Britannus. Nauta est incola Americae et laetus est. Incola Americae sum quoque, sed nōn semper in hāc terrā habitō.

Ubi habitās? Esne Hispānus? Esne Hibernus? Esne Italus? Habitāsne in Italiā? Esne incola Italiae? Poēta, amīcus nautae, in Italiā habitat; incola Italiae est. Italia est patria poētae. Hic poēta multa scrībit. Bene quoque scrībit. Saepe epistulās longās scrībit. Poēta magnam pecūniam nōn habet. Fortūna nōn est magna sed fāma est magna. Casam parvam habet. In casā cēnam parat. Poēta Americam vidēre cupit. Cūr Americam nōn videt? Haec est causa: pecūniam nōn habet. Vīta poētae nōn est saepe perīculōsa. In terrā habitat.

Fīlius agricolae nauta esse cupit, quod vītam perīculōsam cupit. Puer est parvus. Puerī parvī nōn sunt nautae. Nautae sunt virī. Puer in scholā labōrat. Puella scrībere cupit. Epistulās bonās scrībit. Magistra puellam laudat quod epistulae sunt bonae. Interdum puella epistulās portat quod mātrem epistulās vidēre cupit.

LESSON VI

Ego sum magistra. Tū es discipulus. Ego in Americā habitō. Habitāsne tū in Americā? Haec est pictūra scholae meae. In pictūrā est puer, discipulus bonus. Pater huius puerī est nauta. Incola Americae est. Vir bonus et magnus est. Nauta epistulās scrībit et puer saepe mihi epistulās ostendit. Interdum nauta est in scholā. Discipulīs fābulās dē multīs terrīs nārrat et pictūrās ostendit. Nauta multās terrās videt et virōs et fēminās videt. Discipulī pictūrās nautae spectant et fābulās laudant. Interdum ego epistulās nautae legō. Discipulī nautae grātiās agunt quod pictūrās ostendit et fābulās nārrat et epistulās bene scrībit.

Fīlius nautae est saepe laetus quod pater dōna dat. Saepe fīliō dōna dat. Puer patrī grātiās agit. Pater puerō fābulās dē dōnīs nārrat. Hae fābulae vītam nautārum mōnstrant. Interdum pater pecūniam ē multīs terrīs portat. Puer est laetus quod pecūniam Italiae et Hispāniae et Hiberniae cupit. Puer dōnum spectat et patrī grātiās agit.

12

Estne fīlius nautae in scholā tuā? Estne fīlius agricolae in
scholā tuā? Legisne fābulās in scholā tuā? Scrībisne fābulās
in scholā tuā? In scholā meā sunt multae pictūrae. Discipulī
pictūrās spectant et laudant. In pictūrīs sunt viae. In viīs
sunt virī et fēminae. Haec fēmina aquam portat. Hic puer
epistulam portat. Pictūrae sunt pulchrae. Hae pictūrae sunt
dōna. Nauta pictūrās ē Britanniā, ē Siciliā, ē multīs terrīs et
īnsulīs portat.

Poēta magistrae epistulam scrībit et nauta hanc epistulam
portat et discipulīs ostendit. Poēta est amīcus magistrae.
Magistra epistulās poētae semper laudat. In epistulā poētae
est pictūra aquae. Pulchra est, sed parva. Poēta aquam
saepe videt quod interdum in īnsulā habitat. Nōn est nauta
et vīta nōn est perīculōsa. Poēta est Italus. Nauta est Americānus. Amīcus meus est Hibernus. Hic agricola est Britannus. In hāc pictūrā est nauta Hispānus.

Epistulam habeō. Epistulam nautae ostendō. Nauta epistulam videt. Epistulam spectat. Est epistula nautae. Nauta epistulam cupit. Nautae epistulam dō. Nunc epistulam habet et laetus est. Mihi grātiās agit. Epistulam legit. In epistulā est pictūra. Nunc mihi pictūram mōnstrat.

Haec est casa Americāna. Haec casa iānuam habet. Iānua est clausa. Multās fenestrās quoque habet. Fenestrae sunt magnae. Fenestra Americāna mihi grāta est. Estne tibi grāta?

Haec est casa Rōmāna. Casa nōn est magna; est parva.
Iānuam habet. Iānua est aperta. Fenestrās habet sed nōn
multās fenestrās. Fenestrae Rōmānae nōn sunt magnae; sunt
parvae. Fenestrae Rōmānae sunt altae. Nōn sunt clārae. Fenestrās Rōmānās nōn amō. Fenestrās Americānās laudō.
Americānī fenestrās apertās saepe habent. Fenestrae Rōmānae nōn sunt apertae; sunt clausae. Fenestrās apertās
laudō.

Hīc non habitat vir. Ibi habitat vir. Hic vir est poēta
clārus et benignus. Casam habet et cūrat. Nunc fēminae in
silvā ambulant. Nunc poēta iānuam aperit et fēminās videt.
Fēminae rosās portant. Poētae rosās ostendunt et poēta est
laetus quod rosae sunt grātae et rosās nōn habet. Fēminae
poētae rosās dant. Poēta fēminīs grātiās agit. Hoc dōnum
est poētae grātum. Nunc iānuam claudit. Rosās cūrat et laudat.

Interdum poēta est in scholā quod amīcus magistrae est.
Saepe fābulās nārrat. In silvā cum discipulīs ambulat quoque. Saepe discipulī cum poētā ambulāre cupiunt. Poēta est
discipulīs cārus. Est benignus quoque. Suntne poētae tibi
benignī? Poētae sunt mihi benignī, sed ego sum magistra.
Esne tū poēta? Pater meus est poēta et in Britanniā habitat.
Epistulās patris meī legere cupiō. Interdum in epistulīs patris
sunt dōna. Bene est. Patrī grātiās agō, quod dōna sunt pecūnia et pictūrae. Ē multīs terrīs pater pictūrās portat.
Pater meus est poēta clārus. Fāma est magna.

In viā ambulō. Hīc est casa pulchra. Fenestra casae est aperta et in fenestrā est rosa pulchra. Iānua casae nōn est clausa. Iānua quoque est aperta et hīc est fēmina benigna. Cum fēminā vir rosās spectat. Vir in casā nōn habitat sed casam et rosās cūrat. Vir rosās ostendit. Fēmina benigna est et virō grātiās agit. Rosae sunt grātae fēminae et rosās laudat. Vir in casā parvā in silvā habitat et vir quoque rosās habet. Vir rosās amat. Ibi est casa virī. Ibi sunt rosae virī. Bene rosās cūrat et clārae sunt rosae virī.

Haec est schola nostra. Schola nostra est clāra et fāma est magna. Interdum iānua est aperta. Rosās vidēmus. Agrōs quoque vidēmus. Silvam ex fenestrīs vidēmus. Ibi est via longa. Ex fenestrīs viam quoque vidēmus.

Nunc magistra nostra discipulōs exspectat. In scholā nōn labōrāmus. In viīs ambulāmus. Ad scholam properāmus. Hī puerī linguam Latīnam discunt, sed hae puellae sunt parvae et linguam Latīnam non discunt. Magistra nostra est benigna et puerīs et puellīs cāra. Linguam Latīnam discere cupimus. Interdum mātrēs nostrae ad scholam properant. Mātrēs nostrae magistram vident et laudant. Nōs quoque magistram laudāmus.

Nunc fenestrās claudimus. Iānua scholae est clausa et ibi nōn labōrāmus. Ex scholā ad casās nostrās properāmus. In agrīs sunt agricolae. Ibi labōrant. Mātrēs nostrae nōs exspectant. Cēnam parant. Aquam portāmus et mātrēs sunt laetae. Rosās cūrāmus et spectāmus. Frātrēs parvōs cūrāmus. Hoc est grātum frātribus nostrīs.

Nunc agricolae ex agrīs properant. Cēna est parāta et cēna

est grāta agricolīs. Fīliī agricolārum ex agrīs cum patribus
properant quod hī quoque cum agricolīs in agrīs labōrant.

LESSON IX

Nox est et noctū agricolae agrōs nōn cūrant. Noctū mā-trēs cēnam nōn parant. Noctū discipulī in scholā nōn labō-rant et linguam Latīnam nōn discunt. Sed noctū nautae saepe labōrant.

Nox est et ibi medicus ambulat. Medicus noster nōn est, sed medicus puerī. Nunc medicus properat sed est tardus. In

silvā properat. Puer, fīlius agricolae, in casā est aeger. Medi-cus, vir clārus et benignus, ad casam agricolae properat quod puer est aeger. Nox est et medicus sōlus ambulat. Amīcī cum medicō nōn ambulant. Sōlus properat. Tardus est quod lūna est obscūra. Medicus lūnam clāram vidēre cupit. Stellae quoque sunt obscūrae et medicus nōn clārē videt.

18

Puer laetus nōn est. Aeger et miser est. Ubi nōs aegrī sumus, miserī sumus nōs quoque. Puer sōlus est, sed sōlus esse
nōn cupit. Amīcōs vidēre cupit. Lūnam et stellās nōn videt
quod obscūrae sunt. Puer aeger medicum exspectat sed medicus est tardus.

Nunc medicus iānuam agricolae aperit et puerum spectat.
Medicus est puerō benignus. Puerō fābulās longās et bonās
nārrat. Ex fenestrīs puer et medicus silvam spectant sed
stellās et lūnam nōn vident. Nunc medicus iānuam claudit.
Ex casā agricolae properat et ad silvam ambulat.

Esne aegra, puella?
Minimē. Nōn sum aegra.
Laeta sum quod nōn es aegra. Misera sum quod Cornēlia
est aegra. Haec puella nōn est aegra; haec puella nōn est
aegra. Nōn sunt aegrae. Estisne aegrae, puellae?
Nōn sumus aegrae.
Esne aeger, puer?
Nōn sum aeger.
Laeta sum quod nōn es aeger. Esne aeger, discipule?
Nōn sum aeger.
Estisne, puerī, aegrī?
Minimē. Nōn sumus aegrī.
Laeta sum.

LESSON X

Nunc nōn est nox, sed vesper est. Amīcus noster, puer aeger, in casā stat. Ex fenestrā viam spectat. Discipulōs exspectat. Stellās nōn videt quod nōn est nox. Lūna nōn est

obscūra. Vesper est. Vesperī agricolae ex agrīs properant et discipulī ex scholā ambulant. Puer nōn est miser sed laetus. Haec est causa: nunc nōn est aeger. Herī puer erat aeger et in scholā nōn labōrat. Miser erat et sōlus, sed medicus

puerō medicīnam dedit et hodiē puer est laetus. Herī puer
nōn labōrābat. Impiger nōn erat. Tardus erat. Hodiē est impiger. Scrībit, legit, aquam in casā portat. Herī cum puer
medicum vīdit, medicīnam nōn cupiēbat. Medicus, vir benignus, puerō pecūniam dedit, et puer medicīnam cupīvit.
Herī puer amīcōs nōn vīdit. Hodiē ex fenestrīs discipulōs in
viā videt. Discipulī puerum ex viā vident et ad fenestram
properant. Discipulī puerō epistulam dant. Magistra epistulam scrīpsit. Puer epistulam legit et laetus est quod epistula
est grāta.

Labōrāsne in casā, puella?

Ita. In casā labōrō.

Labōrāsne in casā, puer?

Minimē. Nōn in casā, sed in scholā labōrō.

Labōrātisne in scholā, puerī?

Ita. In scholā labōrāmus, sed nōn in casā. Puellae quoque
in scholā labōrant.

Spectāsne lūnam vesperī, puella? Spectāsne stellās noctū,
puer?

Noctū stellās spectāmus quod stellās amāmus. Cum lūna
est obscūra, stellās vidēmus.

Estne lūna grāta tibi? Suntne stellae tibi grātae?

Ita. Lūnam et stellās amō.

Ubi stās cum stellās spectās?

In casā nōn stō cum stellās spectō. Cum in viā stāmus,
stellās et lūnam vidēmus.

LESSON XI

Haec puella parva cum mātre in casā stat. Est aestās et iānua et fenestrae sunt apertae. Vesper est pulcher. Hīc est silva et in silvā tabernāculum vident. In tabernāculō in silvā habitat fēmina. Aestāte fēmina in tabernāculō habitat. Aestāte sōla in tabernāculō manet. Hodiē est in tabernāculō. Herī nōn erat in tabernāculō. Herī erat in oppidō. Saepe ad oppidum ambulat. Ex oppidō multa ad tabernāculum portat. Hodiē erat in silvā. Ex silvā quoque multa portat. Nunc in tabernāculō est et est impigra. Quid nunc habet fēmina? Medicīnam habet. Diū labōrat in tabernāculō et nunc medicīnam habet. Medicīnam ad oppidum portat et pecūniam ad tabernāculum portat. Nōn est medicus sed medicō medicīnam dat. Nōn est aegra fēmina; est valida. Pecūnia nōn est dōnum, nōn est praemium quod fēmina labōrat. Fēmina pecūniam habet quod medicīnam dat.

Puella parva cum mātre fēminam et medicīnam spectat. Puella saltat et hoc dīcit: "Laeta sum quod nōn sum aegra. Medicus mihi medicīnam fēminae nōn dat." Māter respondet: "Ego quoque sum laeta quod es valida et medicīnam nōn cupis. Laeta sum quoque quod in tabernāculō nōn habitāmus. Tēctum magnum nōn habēmus sed cāra mihi est casa nostra."

Interdum hic discipulus nōn est bonus. Malus est et in scholā nōn bene labōrat. Hodiē magistra nōn est laeta. Maesta est. Puerum nōn laudat. Ubi discipulī ē scholā domum eunt, magistra ad sē puerum malum vocat et hoc dīcit: "Tū, puer, nōn bene labōrās. Nunc tē sōlum labōrāre cupiō. Aquam in scholam portā." Puer aquam portāre nōn cupit et sēcum, "Domum īre cupiō," inquit. "Hanc magistram nōn amō." Diū lacrimat. Ūnam hōram puer sōlus cum magistrā manet. Linguam Latīnam discit. Aquam portat. Fenestrās et iānuās claudit. Sed hōra longa nōn est puerō maestō grāta.

Māter puerī domī puerum exspectat et ē fenestrā vocat. "Puer! Puer!" dīcit māter. Puer nōn respondet. Post ūnam hōram māter maesta ē tēctō ad scholam it quod vesper est et puer nōn est domī. Ibi puer stat et lacrimat.

"Cupisne mox bonus esse?" dīcit magistra. "Cupisne bene labōrāre? Ubi bene labōrās tē laudō."

Puer magistram et mātrem maestam spectat. "Ita," respondet puer sed sēcum, "Nunc domum īre cupiō," dīcit.

Mox māter et fīlius domum eunt. Properant quod nox est et stellae et lūna sunt clārae.

Pater puerī domī nōn est. Ex oppidō properat. Praemium habet. Puerō praemium dare cupit. Praemium est tabernāculum. Aestāte puerī in tabernāculīs habitāre cupiunt. Validī et impigrī sunt ubi in tabernāculīs habitant. Puer est bonus et pater praemium laetē spectat. Sed ubi in tēctum it et fīlium videt et māter fābulam dē puerō malō nārrat, maestus est pater.

Post cēnam pater puerum ad sē vocat. Hoc dīcit: "Nunc

hoc praemium tibi dare nōn cupiō. Hodiē nōn bene labōrābās
et ūnam hōram sōlus cum magistrā manēbās. Maestus sum,
sed tū es fīlius meus et mihi cārus. Ubi magistra ad mē epistulam bonam dē tē scrībit, praemium tibi est.

Diū puer lacrimat. Mox in scholā bene labōrat. Magistrae
semper grātus esse cupit. Mox pater nōn est miser quod
magistra puerum laudat. Mox tabernāculum habēbit.

LESSON XIII

Haec casa est domus fēminae benignae. Casa est casa alba.
Post casam est hortus. Post hortum est silva. In hortō sunt

multī et pulchrī flōrēs. Sunt rosae albae et līlia alba quoque.
Alta sunt līlia et pulchrae sunt rosae. Sunt aliī flōrēs quoque
in hortō. Grātī fēminae benignae sunt flōrēs. Fēmina hortum

nōn cūrat. Vir quī in aliā casā habitat hortum cūrat.
Aestāte hortum cūrat; hieme nōn cūrat quod hieme sunt nūllī flōrēs in hortō. Bene vir labōrat. Cārus virō est hortus.

Hodiē vir nōn est in hortō. Herī hīc erat. Hodiē hīc nōn
est. Est aestās et in hortō est quiēs. Fēmina quiētem amat.
Mox fēmina puerum lacrimantem audit. Ad iānuam it. Nūllus puer est in viā. Mox puerum quī in hortō labōrat videt.
Est fīlius virī quī hortum cūrat. Hodiē puer hortum cūrat et
lacrimat. Puer nōn est in perīculō; nōn timet. Cūr lacrimat?
Fēmina puerum ad sē vocat. Fēmina hoc dīcit: "Cūr lacri-
mās, puer?" Tum puer respondet: "Pater meus ad oppidum
it et ego labōrō. Ego quoque ad oppidum īre cupiō. Duōs
equōs habet et ego equōs amō. In stabulō frūmentum equīs
dō. Aquam quoque dō. Ūnum equum semper cūrō. Ego quoque cum patre et equīs īre cupiō."

Fēmina quae est fēmina benigna est maesta. Miserum puerum! Fēmina et puer cēnam edunt. Tum fēmina flōrēs ex
hortō capit et ad oppidum it. Cum fēminā it puer parvus quī
nunc nōn lacrimat. Mox virum quī hortum cūrat fēmina videt et dē puerō parvō quī nōn est puer malus nārrat. Fēmina
et vir et puer colloquium habent. Multās hōrās ibi manent.
Vesperī domum eunt.

Nox est et quiēs est in terrā. Hiems est. Mārcus, puer Americānus, sōlus est in casā quod māter et pater ad oppidum iērunt. Diū legit. Dē multīs terrīs legit. Hanc fābulam, quae dē Rōmānīs antīquīs nārrātur, saepe Mārcus in scholā audīvit. In pictūrā est vir quī mīles Rōmānus est. Ad bellum

properat. Est mīles validus et magnus quī arma Rōmāna portat. Sōlus est. Multī aliī mīlitēs quī in pictūrā nōn videntur ad bellum ambulant quod bellum est magnum. Ibi sunt castra Rōmāna ubi noctū mīlitēs manent. Hīc quoque manent ubi in bellō nōn pugnant. Mīlitēs interdum ā castrīs properant et ad bellum eunt.

Hic mīles Rōmānus quī est dux mīlitum arma bona portat. Quae sunt haec arma? Hic est gladius validus. Gladius nōn est longus. Nōn est lātus. Scūtum quoque capit. Scūtum du-

cem tegit ubi bellum est perīculōsum. Pīlum habet. Hoc pīlum est longum et validum sed nōn est lātum. Galea quoque
ducem tegit. Galeam et scūtum et gladium et pīlum Mārcus
videt et laudat. Haec arma mīlitēs bene tegunt. Quod hic
mīles est dux, bellum nōn timet. Perīculum nōn timet.

Post mīlitēs castra vidēmus. Equōs et frūmentum vidēmus. Hī equī aliōs mīlitēs portant. Alia tēla portant. Nunc
est nūllum perīculum. Mox mīlitēs pugnant et tum est magnum perīculum. Post bellum multī mīlitēs sunt dēfessī et
domī esse cupiunt. Dux quoque est dēfessus. Dux bonus
semper cōnsilia bona habet. Mīlitēs cōnsilia bona ducis semper laudant, sed cōnsilia mala nōn laudant. Dux impiger
cōnsilia mala nōn laudat. Dux impiger cōnsilia bona semper
habet. Bellum est perīculōsum ubi cōnsilia ducis sunt mala.

Nunc nōn est nox. Nūlla quiēs est in terrā. Virī et fēminae
labōrant. Mārcus nōn legit sed ad stabulum ubi equus stat
ambulat. In stabulō Mārcus equō albō frūmentum dat. Tum
in hortum puer et equus properant. Equus puerum ad flōrēs,
rosās et līlia, portat. "Ego sum dux Rōmānus," inquit puer,
"et arma capiō. Gladium et ūnum scūtum portō. Galeam
habeō et in tabernāculō sunt duo pīla quae nunc nōn portō.
Mīlitēs meī mē laudant quod cōnsilia bona habeō."

Māter vocat. Puer et equus domum properant. Post cēnam colloquium, quod dē armīs et bellō est, longum et grātum est.

LESSON XV

Quae arma, mīles Rōmāne, habēs?

Galeam et scūtum habeō. Haec est galea mea; hoc est scūtum meum.

Quid facit scūtum?

Scūtum mē tegit.

Quid facit galea?

Galea caput meum tegit.

Quae tēla mīles Rōmāne, habēs?

Tēla mea sunt gladius et pīlum. Multī mīlitēs sagittās habent sed ego sagittās nōn habeō quod nōn sum sagittārius.

Ubi habitās, mīles Rōmāne?

In castrīs habitō cum est bellum. Castra amō. Castra sunt lāta et longa et multī mīlitēs Rōmānī in castrīs sunt. Longē ā casā patris meī sunt castra. Patrem et mātrem nōn videō. Interdum sum dēfessus et patrem et mātrem vidēre cupiō, sed ad casam nōn eō quod dux hoc dīcit: "Bonus mīles pugnat. Mīles malus domum it."

Cūr cōnsilium nōn capis et domum īs?

Dux meus est benignus dux sed cōnsilium intellegit. Nōn cupit mīlitēs domum īre. "Cōnsilium nōn est bonum," inquit dux. "Est malum. In castrīs manē." Tum numquam īre cupiō.

Labōrāsne semper in castrīs?

Minimē. Ego et trēs amīcī interdum ad silvam īmus. Cum in silvā sumus, iacula habēmus. (Iaculum est pīlum sed nōn longum pīlum.) Sagittās quoque habēmus. Interdum ad castra animālia portāmus. Animālia ad ducem portantur. Cum cēna bona in mēnsā parāta est, laetī sumus.

Quī sunt hī quattuor puerī quī in viā lātā ambulant? Amīcī sunt et fīliī agricolārum. Quid faciunt? Sagittās portant. Scūta et pīla nōn portantur quod puerī mīlitēs nōn sunt et nōn pūgnant. Iacula nōn habent. Nōmen huius puerī altī est Mārcus. Medius puer est. Ā dextrā Mārcī est frāter, Lūcius, puer secundus, quī trēs sagittās portat. Ā sinistrā Mārcī est puer tertius, Carolus, nōmine. In capite Carolī est galea, sed mīles nōn est. Hic parvus puer, cuius nōmen est Claudius, post hōs trēs puerōs manet. Parvus est, sed cum puerīs magnīs ambulāre cupit. Dēfessus est quod puerī magnī properant.

Hodiē puerī equōs nōn habent. Quid puerī nunc faciunt? Hī quattuor puerī ā casīs ad silvam properant quod ibi sunt animālia. In stabulō sunt equī nigrī, et nunc ibi manent. Puerī animālia capere cupiunt. Interdum animālia puerōs timent. Sagittās quoque timent. Diū puerī in silvā manent, sed diū animālia nōn videntur. "Ibi," inquit Mārcus, "caput parvī animālis nigrī videō." Tum Mārcus prīmam sagittam capit, tum secundam et tertiam. Animal stat et puerum spectat. Nūllum perīculum est quod puerī nōn sunt virī magnī et validī. Puerī domum eunt ubi cēna in mēnsā parāta est. Cēnam laetī edunt.

LESSON XVI

Haec est agricolae fīlia cuius nōmen est Anna. In casā est. Quid facit? Ā casā īre parat. Herī aliquis ad iānuam casae vēnit et epistulam portāvit. Anna iānuam aperuit. Tum epistulam manibus ad mātrem quae epistulam lēgit portāvit. Nunc Anna ad oppidum īre parat. Hīc habitat amīca Annae, Iūlia nōmine. Anna ā Iūliā ad oppidum invītātur. Anna est laeta et saltat. Māter nōn invītātur et Anna cum mātre nōn it. Oppidum est magnum sed puella perīculum nōn timet quod hoc oppidum est locus tūtus et puella est tūta.

Vesperī puella nōn it. Māne it. Pater cum puellā it. Māne in carrō pater et fīlia per agrōs et silvam properant. Equum habent. Equus bene currit quod est validus. Puella est laeta. Ā dextrā et ā sinistrā multa videt. Omnēs rēs sunt grātae. Subitō in agrō quattuor animālia videntur. Pater, sagittārius bonus, arcum et sagittās habēre cupit, sed puella est laeta quod nūlla tēla sunt in carrō quod animālia sunt amīcī Annae.

Vesperī pater et fīlia in magnō oppidō sunt. Iūlia Annam exspectat et prope fenestram stat. Subitō equum et carrum videt. Ē tēctō currit et "Salvēte" inquit. Tēctum Iūliae est magnum aedificium. Multās fenestrās et quattuor iānuās habet. Ante tēctum est hortus. Per hortum puellae ad iānuam ambulant. Pater, "Valēte," inquit, "puellae," et domum it. In tēctum nōn it.

Diū Anna cum Iūliā manet. Puellae per oppidum ambulant quod Anna magna aedificia vidēre cupit. Per viās longās ambulant. Oppidum est Annae grātum. Ubi trāns viās puellae īre cupiunt, interdum est perīculum, sed Anna et Iūlia sunt tūtae quod vir magnus, "Properāte, puellae," inquit;

31

"tūtae estis quod hīc ego sum." Tum manūs puellārum capit et puellae cum virō benignō trāns viam fortiter currunt.

Iūlia trēs amīcās habet. Prīma est fīlia medicī. Secunda est fīlia poētae. Tertia est fīlia mīlitis quī iacula et alia tēla domī habet. In mēnsā stat pictūra virī quī in capite galeam habet. Hic vir fortiter pugnat. Hunc mīlitem Anna laudat quod est pater amīcae.

LESSON XVII

"Audī. Aliquid audiō. Audīsne aliquid? Multī virī per viās currunt; multī equī veniunt. Sunt carrī quoque et in carrīs multae rēs portantur. Sunt mīlitēs quoque et in manibus mīlitum sunt tēla. Quī sunt hī mīlitēs? Ad quem locum eunt? Vidē. Ibi prope nostram domum veniunt."

Spectāmus et subitō multōs mīlitēs vidēmus. Multī aliī virī trāns viās et ante aedificia currunt quod hōs mīlitēs vidēre cupiunt. Mīlitēs arma et tēla habent. Galeās, gladiōs habent; scūta, pīla, arcūs, sagittās nōn habent. Patria nostra in bellō nōn pugnat, sed fīnitimī nostrī pugnant et nōs sumus sociī. Cum fīnitimī auxilium rogant necesse est īre. Mīlitēs nostrī īre dēbent quod sunt sociī fīnitimōrum. Omnēs mīlitēs nostrī fortiter pugnant et sunt parātī morīrī sī necesse est. Dux noster ducī sociōrum cōnsilium dat. Ducem sociōrum monet. Mīlitēs nostrī auxilium fīnitimīs dant quod fīnitimī nōn satis magnās cōpiās habent. Sī satis magnās cōpiās habent, nostrōs mīlitēs nōn vocant. Nōs nostrōs mīlitēs tūtōs esse cupimus, sed mīlitēs sociōs nostrōs tūtōs esse cupiunt. Māne hodiē ad sociōs eunt. Crās nōn domum venient, posterō diē nōn domum venient; mox venient sed nōn omnēs. Multī numquam iterum venient. Multī vītās dabunt, multī morientur.

LESSON XVIII

MAGISTRA: Quis est ille vir?

PUER: Ille vir est caecus. Ille vir oculōs habet, sed nūllās rēs videt.

MAGISTRA: Cūr adest? Cūr hīc est?

PUER: Ille vir fīlium habet quī prope hunc locum habitat. Vir fīlium vīsitat et nunc fīlium exspectat.

MAGISTRA: Herī ille caecus vir aderat. Nunc iterum adest.

PUER: Ita. Tum fīlium exspectābat et nunc iterum fīlium exspectat. Numquam longē sine fīliō it quod est timidus. Ubi cum fīliō ambulat, tūtus est.

MAGISTRA: Omnēs virī et puerī quoque illī virō auxilium dare dēbent. Sī omnēs auxilium dant, virī caecī sunt laetī neque timent.

PUER: Ecce! Vidē! Fīlius caecī virī adest. Quam laetus est ille vir!

MAGISTRA: Ad quem locum eunt vir et fīlius?

PUER: Necesse est ad aedificium magnum īre quod ibi vir caecus pecūniam accipit.

MAGISTRA: Cūr pecūniam accipit?

PUER: Vir erat mīles et cum sociīs et fīnitimīs prō patriā pugnābat. Prō patriā parātus erat morīrī sī necesse erat. Cōpiae hostium erant magnae sed cōpiae nostrae nōn satis magnae erant. Dux mīlitēs monēbat sed fortēs erant et fortiter pugnābant. Multī vulnerābantur; multī necābantur. Posterō diē aliī mīlitēs illum mīlitem vident, sed numquam posteā ille videt. Hodiē est caecus! "Putābam mē tūtum," inquit. "Eram paene tūtus. Tum tēlum veniēbat et hīc sum." Nunc ab illō mīlite ex aedificiō magnō pecūnia accipitur.

34

LESSON XIX

Herī vir caecus mihi fābulam dē bellō in quō prō patriā pugnāvit nārrāvit. Haec est fābula:

Hīc sunt castra nostra. Ibi est flūmen. Illud flūmen nōn est Rhēnus. Gallī multa flūmina habent sed illud flūmen nōn est in Galliā. In Eurōpā nōn est. Trāns flūmen sunt castra hostium. Inter castra hostium et castra nostra illud flūmen fluit. Hodiē hostēs in castrīs manent quod herī multī vulnerātī et necātī sunt. Agrī occupātī et vāstātī sunt. Ducēs hostium sunt īrātī et mīlitēs noctū castra nostra capere cupiunt. Ducēs hoc iubent. Hoc dēsīderant. Ubi ducēs hoc iubent, necesse est mīlitēs hoc facere. Omnēs castra nostra vāstāre cupiunt, sed inter hostēs et mīlitēs nostrōs est illud flūmen. Circum castra nostra est mūrus altus. Sine hōc mūrō perīculum est magnum. Propter hunc mūrum hostēs castra nostra neque capient neque nostrōs vulnerābunt. Timidī nōn sumus. Herī nocte dux noster trāns flūmen properāvit et cōnsilia hostium audīvit.

Hodiē dux noster adest. Magnās cōpiās postulat. Auxilium postulat accipitque. Mox omnēs rēs erunt parātae quod nocte perīculum erit magnum. Quam prope hostēs videntur! Necesse est illud flūmen trānsīre. Hoc est cōnsilium hostium. Flūmen non est tardum. Per agrōs fluit et semper properat. Sī hostēs trāns flūmen venient in mūrō stābimus. Ubi hostēs ex aquā properant, multōs capiēmus et vulnerābimus. Multōs iterum in aquam iaciēmus. Ācriter pugnābimus. Hostēs clāmābunt et auxilium postulābunt, sed nūllī erunt tūtī. Dux noster mīlitēs hostēs exspectāre iubet. Paene in mediō perīculō sumus.

Media nox est. Hostēs exspectāmus. Lūna nōn est clāra.

"Quis oculōs bonōs habet?" rogat dux.

"Ego," respondet mīles quī prope stābat.

"Ad mūrum ī," inquit dux, "et sī hostēs venientēs vidēs, omnēs mīlitēs monē."

"Nunc," clāmat ille mīles, "hostēs in flūmine sunt."

Tum, "Pīla aliaque tēla iacite," dux iubet.

Hostēs cōnsilia esse audīta nōn putābant. Tēla vīdērunt. Posteā ad castra trāns flūmen iērunt.

Posterō diē dux, "Cūr," inquit, "Mārcus, mīles fortis, abest? Herī aderat, sed nunc abest."

Tum omnēs mīlitēs ad flūmen properāvērunt. Ecce! Ibi inter mūrum et flūmen erat Mārcus mortuus. Per caput inter oculōs erat gladius hostis. Bene Mārcus prō patriā pugnāverat.

Is quī inter mūrum aedificiumque stat est avunculus meus. Māne in hortō est et flōrēs spectat. Nōn est īrātus, sed maestus. Quae est causa? Ubi avunculus circumspectat, pulchrās rosās et aliōs flōrēs nōn videt. Undique flōrēs sunt in ruīnīs. Ōlim flōrēs erant pulchrī et ubi avunculus hortum spectābat omnēs probābat. Nunc omnēs flōrēs vāstātī sunt. Flōrēs quoque paene maestī videntur. Itaque nōn diū in hortō propter flōrēs vāstātōs manēre cupit. Quae est causa? Avunculus nūllōs inimīcōs habet. Itaque nūllī inimīcī hortum vāstābant. Prope hortum flūmen fluit. Interdum est altum. Circum hortum, tamen, est mūrus altus. Itaque aqua flūminis per mūrum nōn venit. Neque inimīcus neque flūmen hortum vāstābat. Estne populus fīnitimus inimīcus? Audēbatne hostis tēla iacere et rosās līliaque vāstāre? Occupābatne hostis hortum? Postulābatne omnēs flōrēs? Quis hortum vāstābat? Vēnitne aliquis armātus nocte ubi avunculus aberat? Quis hortum grātum oppugnāre audēbat? Cūr aliquis illum inimīcum nōn audiēbat ubi per hortum vēnit? Cūr aliquis nōn clāmābat et avunculum meum nōn monēbat? Hoc nōn intellegō.

Quis est is quī ad hortum ex aedificiō properat? Est vir quī avunculum in hortō iuvat. Avunculum magnā cum cūrā iuvat. Sine illō auxiliō avunculus hortum nōn bene cūrat quod hortus est magnus. Ubi is vir diū abest, flōrēs nōn sunt pulchrī. Vir avunculum salūtat.

·"Salvē," inquit.

"Salvē," respondet avunculus.

Tum vir quoque circumspectat. Is quoque undique flōrēs in ruīnīs videt.

"Herī," inquit, "prīmus diēs hiemis vēnit et omnia oppug-nābat. Quamquam flōrēs pulchrī nōn videntur et eōs nōn probāmus, aestāte, tamen, nūllī erunt in ruīnīs. Hiems est inimīca hortōrum. Hiems bene armāta flōrēs flūminaque op-pugnat et semper superat. Interdum validior est quam aestās. Hiems tēla valida habet."

"Ita," respondet avunculus. "Aestās, tamen, est mihi grā-tior quam hiems."

LESSON XXI

Nōs sumus mīlitēs Rōmānī. Sumus mīlitēs populī Rōmānī. Illī mīlitēs quōs in illīs castrīs vidētis sunt barbarī. Mox barbarī castra nostra oppugnābunt. Sī nōn hodiē sed crās castra nostra oppugnābunt, nōs tūtī erimus quod sociī nōs iuvābunt et crās sociī aderunt. Sī hodiē oppugnābunt, quamquam multōs mīlitēs nōn habēmus, tamen fortiter et ācriter pugnābimus et barbarī castra nōn expugnābunt. Quamquam ea oppugnābunt, tamen castra nōn expugnābunt. Castra expugnāre et dēlēre cupiunt sed neque ea expugnābuntur neque dēlēbuntur. Nōs nōn superābimur. Nōs fortēs mīlitēs probābimus. Illī barbarī, cum sociōs vidēbunt, ā castrīs nostrīs ībunt, et castra sua movēbunt, nam quamquam sunt multī, nōn multum audent et undique celeriter current. Nōs et sociī nostrī sunt armātī neque eī tūtī erunt. Eī nōn servābuntur, nam sociōs nōn habent. Multī vulnerābuntur et necābuntur. Numquam iterum illī barbarī nōs oppugnāre et castra nostra expugnāre cupient. Nunc castra dēsīderant.

Mīles putat: "Sī in castrīs manēbō, mox hostēs aderunt. Multī vulnerābuntur; multī necābuntur; multī erunt caecī. Itaque manēre nōn cupiō. Domum īre cupiō. Rūrī habitō. Rūs īre cupiō. Īre nōn dēbeō. Dux est fortis vir. Mīlitēs monet et mē quoque monet. Sī domum ībō, numquam iterum mīles erō. Prō patriā numquam pugnābō, neque posteā laudābor. Sī virī mē capient, ad ducem mē portābunt. Sine armīs erō. Sociī mē nōn accipient, neque amīcī mē accipient. Quam maestus sum! Sum timidus; hostēs timeō; multa timeō. Oculōs habeō sed nōn clārē videō. Mē miserum putō. Ecce! Ille vir ā castrīs et ā sociīs it. Ego quoque ībō. Crās, māne,

39

ubi omnēs dormient, ex castrīs ībō. Mox domī erō. Quid tum erit? Nōn sciō. Mē miserum!"

Mīles est in vinculīs. Mīles putat: "Ā castrīs īre nōn dēbēbam. Ōlim putābam mē īre cupere. Sī hostēs venient, hīc mē capient. Nōn pugnābō quod sum sine armīs et in vinculīs quoque. Ecce! Aliquid audiō. Hostēs adsunt. Nūllum auxilium habet dux. Iterum prō patriā et prō duce et prō sociīs pugnāre cupiō. Sum parātus morīrī posteā sī necesse est. Nunc nōn sum timidus, hostēs nōn timeō, nūllam rem timeō. Sī dux mē accipiet, quam laetus erō! Sed ille fortis dux hīc nōn manet. Fortiter pugnat et mīlitēs monet. Mē nōn audit. Multī sociī vulnerantur, multī amīcī necantur, sed hī hostēs fortiter accipiunt. Dā mihi tēla et arma. Nūllus audit. Sōlus sum. Mē miserum!"

LESSON XXII

Ōlim vir et servus per silvam errāvērunt. Servus erat magnus et quod tēla portāvit virum bene iūvit. Laetī erant quod rūs erat grātum eīs et bēstiās ferās capere cupīvērunt. Herī hī duo virī bēstiās ferās esse in silvā audīvērunt. Diū in silvā fuerant et per tōtam silvam errāverant, nam nūllās bēstiās vīderant, et domum sine bēstiīs ferīs īre nōn cupīvērunt.

Māne servus, cuius nōmen erat Carolus, "Sī domum duās bēstiās magnās portābimus," inquit, "magna erit cēna et amīcōs tuōs invītābimus."

"Ita," respondit vir, cuius nōmen erat Mārcus, "facile erit bēstiās oppugnāre et superāre, nam multās esse in silvā scīmus."

Sed ubi erat nox et paene tempus domum īre, eī, tamen, sine bēstiīs manēbant. Quamquam lūna stellaeque nunc vidēbantur, nōn erat facile, tamen, viam vidēre.

Subitō duo oculī mox aliī prope virōs videntur. Virī timent. Celeriter bēstiae (nam ita virī putant) ad virōs sē movent. Servus sagittās capit sed timidus est et bēstiae ferae nōn vulnerantur.

Tum Mārcus, "Ego," inquit, "vītās nostrās servābō. Celeriter curram et bēstiae post mē venient. Subitō prope flūmen stābō et bēstiae in flūmen current et omnēs morientur. Tūtī erimus."

"Hae bēstiae," inquit Carolus, "vītās nostrās dēlēre cupiunt. Interdum tōtum oppidum expugnant et incolās superant. Bēstiae sunt perīculōsiōrēs quam barbarī."

Propius bēstiae ferae veniēbant.

"Ecce!" inquit Mārcus. "Bēstiae ferae nōn sunt. Eī sunt equī nostrī quī ē stabulō cucurrērunt. Iānua est aperta. Itaque hīc sunt."

Tum Mārcus ūnum equum cēpit. Carolus ūnum equum cēpit et ubi duo virī eōs incitāvērunt, domum in equīs portātī sunt. Cēterī equī post eōs properāvērunt.

LESSON XXIII

Ōlim dominus bonus malum servum habēbat. In multīs locīs dominus servum suum probābat. Prīmum in tēctō suō

labōrem dabat, sed servus tēctum eius nōn bene cūrābat neque erat benignus puerīs et puellīs eius. Tum in hortō eius labōrābat sed flōrēs eius nōn amābat neque eōs cūrābat. Tum rūrī in agrīs eius labōrābat sed ibi quoque nōn bene

labōrābat. Mox dominus eius eum ad silvam mīsit. Ā silvīs
ad tēctum necesse erat lignum portāre. Nōn erat facile lignum portāre. Servus malus ad silvam īvit sed lignum nōn
portāvit. Quamquam dominus imperat, servus nōn pāret.
Quod servus est malus et labōrem bonum nōn bene facit,
dominus igitur ad labōrem dūrum mittit. Tamen servus nōn
pāret. Per tōtum tempus sēcum putat. Cēterōs servōs nōn
incitat sed mox sōlus sē in fugam dat. Celeriter currit sed
semper timet. Per diēs servus perfidus in agrīs dormit; per
noctēs iterum currit.

Mox tamen dominus cum servīs armātīs eum reperit et
servus perfidus statim domum in vinculīs it. Ibi dominus eius
hoc dīcit: "Tū in tēctō nōn bene labōrās, in hortō nōn bene
labōrās, in agrīs nōn bene labōrās. Paucī servī ita sunt malī.
Ad silvam igitur tē mittō. Ibi quoque nōn bene labōrās sed
in fugam tē dās. Imperō; nōn pārēs. Tū es servus. Hoc memoriā tenē. Quid cupis? Quid in animō habēs?" "Vōs omnēs
necābō," servus perfidus inquit. "Rēs omnēs vestrās dēlēbō."
Dominus igitur multum movētur nam servum saevum esse
scit. Dominus servum inter aliōs errāre nōn dēsīderat et statim imperat, "Hunc servum in vincula conicite, servī meī. In
locīs obscūrīs post mūrōs validōs semper eum tenēte."

LESSON XXIV

Virī quī Rōmae habitābant Rōmānī vocābantur. Virī quī in Germāniā, in Galliā, in Britanniā habitābant barbarī vocābantur. Quī sunt eī barbarī? Eī barbarī sunt Gallī quī Rōmam sē movent. Rōmānōs nōn amant nam līberī esse cupiunt, sed Rōmānī dominī esse cupiunt et illōs servōs facere cupiunt. Nunc igitur ad urbem sē movent. Crās urbem oppugnābunt. Dēlēbuntne urbem? Sunt barbarī saevī. Barbarī sunt perfidī et saepe urbēs dēlent et incolās in fugam dant. Facile urbem expugnābunt nam multōs mīlitēs mittunt et validī sunt et Rōmānī sunt paucī. Quod cōnsilium in animō habent? Quō modō hoc facient? Nūllum cōnsilium habent sed dux barbarōrum celeriter videt, statim imperat et omnēs barbarī pārent. Dux cōnsilium reperiet. Quī Rōmānōs iuvābunt? Quī urbem servābunt? Heu! Urbs nōn servābitur. Expugnābitur et dēlēbitur.

Ānserēs cōnsilium cēpērunt. Dux ānserum cēterōs ānserēs convocāvit. Tum circumspectāvit et dīxit hoc: "Rēx ānserum sum. Celeriter venīte et audīte. Nōn est tempus morae. Vōbīs rem malam dīcō. Hostēs ad urbem nostram sē movent. Nōn sōlum hostēs sunt sed etiam barbarī sunt. Nox est. Nocte oppugnābunt. Ā tergō urbem oppugnābunt. Tōtam urbem dēlēbunt. Neque virōs līberōs neque servōs servābunt, neque hominēs neque bēstiās servābunt. Omnēs necābunt. Tōtōs agrōs vāstābunt. Undique errābunt. Omnia vāstābunt. Dūrus erit labor amīcōrum vestrōrum. Hoc memoriā tenēte. Nunc virī Rōmānī sunt dēfessī et dormiunt. Neque vir līber neque servus neque bēstia hostēs videt. Nōs sōlī hanc rem scīmus. Tempus est virōs incitāre. Vōs ānserēs statim clāmōrem facite et virōs incitāte. Rōmam servāte."

Expugnāvēruntne barbarī Rōmam? Minimē, nam ānserēs Rōmam servāvērunt.

In silvīs ad quās aestāte īmus est flūmen parvum. Hoc flūmen in flūmen magnum fluit. In flūmine magnō sunt multae et magnae nāvēs quae hominēs et rēs portant. Semper

nāve ad urbem quae est prope casam nostram īmus. Haec nāvis est longa et angusta et alba. Nāvem amō quod est tam pulchra et tam celeriter it. Ōlim ego et pater ex urbe ad casam per flūmen parvum in nāviculā īvimus. Id ego amāvī, sed frāter meus nōn amāvit quod eum cum mātre et sorōribus īre necesse erat.

Cum in silvā sumus, nōs omnēs in aquam sine morā īmus.
Per tōtum diem in flūmine sumus et magnī clāmōrēs ibi
audīrī possunt. In flūmine est saxum magnum, paene īnsula.
Ad hoc saxum ego per aquam ambulāre possum. Ubi prope
rīpam sum, tōtum corpus meum vidēre potes. Mox tergum,
nōn corpus vidēs. Ubi prope saxum sum, caput meum sōlum vidērī potest. Aqua igitur nōn est alta, sed in flūmine
natāre possum. Interdum per tōtum diem aut natō aut in
saxō sedeō aut in rīpā legō. Nāviculam quoque habeō. Nōmen nāviculae est "Anser."

Sorōrēs meae et frāter meus quoque natant. Sorōrēs sunt
puellae magnae et sē servāre possunt, sed frāter meus est
parvus. Bene natat. Paucī puerī tam bene natant, sed sī
etiam prope rīpam ambulat, caput nōn vidēs. Frāter autem
nōn est validus, itaque, sī est in flūmine, numquam eum relinquō. Sī nōn natāre cupiō, in saxō sedeō et puer in aquā natat
aut tēcta in rīpā aedificat.

Hanc vītam amō quod sum tam līber. "Ego sum rēx hominum," interdum inquam. "Haec vīta sōla est bona." Heu!
Ubi hiems venit miser sum quod flūmen relinquō et nōn
semper manēre possum. Semper hunc locum memoriā teneō.

Herī sōlus in nāviculā meā in flūmine eram. Māne ubi lūx nōn iam erat obscūra domum relīquī et ad rīpam flūminis properāvī. Hīc nāviculam parvam angustamque vīdī. Diēs erat pulcher. Nūllae nūbēs erant in caelō. Avēs laetae ē somnō excitātae in arboribus sedēbant. Undique erant collēs. In summīs collibus erant agricolae. Iam labōrābant. Diū silē-bam. Dē nātūrā locī putābam. Collēs, arborēs, caelum quo-que silēbant, sed avēs nōn silēbant. In arboribus avēs audiē-bam. Itaque laetus eram. Aliae tēcta sua aedificābant, aliae cibum dēsīderābant, aliae ubi appropinquāvī per caelum pro-perābant.

Inter collēs, per silvās in nāviculā īvī. Posteā corpus meum erat dēfessum et cibum cupīvī. Prope rīpam saxum magnum vīdī. Ibi sēdī et diū quiētem cēpī. Tum in flūmine natāvī. Ubi natāre nōn iam cupīvī, in nāviculā meā sēdī. Subitō post lignum tergum hominis vīdī. Sine morā rīpae appropinquāvī et ibi agricolam vīdī. Dēfessus erat et quiētem capere cupīvit.

"Salvē," dīxī.

"Salvē," respondit agricola.

"Cuius ager est hic?" rogāvī.

"Meus ager est," respondit vir. Tum dē agrīs, dē nātūrā eius locī, dē collibus cārīs suīs nārrāvit. Haec erat eius fābula:

"Ubi parvus puer eram, pater meus māterque in carrō per agrōs ībant. Illīs temporibus nōn erat facile trāns terram, Americam, īre quod multa erant perīcula. Equī erant tardī et saepe necesse erat diū in ūnō locō manēre, ubi aut virī dēfessī aut fēminae aegrae erant. Interdum paucōs diēs nūl-lum cibum habēbant. Tum vīta eōrum nōn erat grāta incolīs. Sī flūmina erant magna, necesse erat diū in rīpā manēre.

Tum virī nāvēs aedificābant aut sī nāvēs aedificāre nōn poterant, equōs cum carrīs per flūmen dūcēbant.

"Tum vīta agricolae nōn erat tam facilis. Ōlim barbarī appropinquāvērunt. Māter paterque perīculum esse magnum sciēbant et diū post collem, inter arborēs manēbant. Diū silēbant et sine cibō manēbant quod barbarī per noctem in castrīs prope collem manēbant. Māne, prīmā lūce, pater et māter ā collibus properāvērunt. Ex summō colle diēs tardē appropinquābat, sed pater et māter iam in viā ad novam domum sē movēbant."

Cum hanc fābulam audieram, hoc dīxī: "Pater tuus est exemplum virī fortis. Hodiē nōn sunt tam multa exempla virōrum fortium."

"Ita," respondit vir. "Etiam nunc in Americā sunt multī et fortēs virī. Semper erunt."

Herī in summō saxō stetī et terram undique spectāvī. Caelum erat clārum pulchrumque. Nūllae nūbēs erant. Ubīque collēs arborēsque vīdī. Avēs erant laetae. Ubīque signa laetitiae vidēbantur. Flūmen erat prope et paucās nāviculās vīdī. Subitō figūrās duōrum virōrum vīdī. Virī cibum tēlaque portābant. Splendida erant tēla. Virī in saxō sedēbant sed mē hīc esse nōn sentiēbant. Ego, igitur, post arborem mē cēlāvī et audīvī. Diū silēbam.

Vir altior hoc dīxit: "Ōlim in hōc saxō erat proelium magnum et multī barbarī moriēbantur. Per tōtam terram hoc proelium est nōtum."

De nātūrā huius proelī audīre maximē cupīvī.

"Cūr barbarī hostēs nōn superāvērunt? Habēbantne nūlla tēla?" rogāvit amīcus eius. "Cūr tēla nōn rapuērunt et hostēs oppugnāvērunt?"

"Hostēs circum tōtum saxum mittēbantur," inquit vir altior, "et barbarī ā saxō ad tēcta sua īre nōn poterant. Multōs diēs in summō saxō barbarī sine cibō manēbant. Iam multī erant aegrī. Mox undique erant corpora mortua. Posteā omnēs barbarī superātī sunt. Sīc nōmen huius locī nōtum erat. Hoc proelium est exemplum multōrum et dūrōrum proeliōrum quae inter barbarōs et Americānōs facta sunt."

Nunc, excitātus, mē nōn iam cēlāvī, sed virīs appropinquāvī.

"Tōtam fābulam," inquam, "audīvī et est mihi grāta. Aliās nārrā."

Vir altior ita respondit: "Lūx est obscūra et tempus est domum īre."

51

Tum vir et amīcus eius tēla splendida capiēbant et dē summō saxō properābant. Diū figūrās eōrum spectābam. Diū ibi manēbam. Nunc hīc erat nūllum proelium. Omnēs rēs silēbant. Laetitiam sentiēbam, sed miser quoque eram. Etiam nunc fābulam dē nātūrā huius proelī in animō meō teneō.

LESSON XXVIII

To THE PUPIL: If you live in or near Chicago, omit this story and read the next instead.

Hic est vir cuius fāma nōn cēlātur. Cīvis oppidī nostrī est. Ubīque nōtus est. Ā multīs cīvibus laudātur. Nāvigium pulchrum quod nunc in portū est habet. Hūc multī cīvēs veniunt et nāvigium laudant. Nāvigium nōn est angustum sed lātum et longum. In summō corpore est figūra avis albae. Prope figūram AVIS ALBA scrīptum est. Hoc est īnsigne nāvigī. Sīc nōtum est inter alia nāvigia. Alia nāvigia quoque īnsignia habent et bene ōrnantur. Numquam hoc nāvigium in proeliō esse poterit quod nōn est nāvis longa et nūlla arma splendida habet. Cīvis aut ad multās īnsulās in nāvigiō it aut praemia accipit ubi eius nāvigium celerius aliō it. Laetitia cīvis est magna cum praemium accipit. Sīc fāma eius nōn cēlātur.

Prīmā lūce, hodiē, multī cīvēs ad portum vēnērunt. Nunc omnēs laetitiam sentiunt. Caelum est clārum. Nūllae nūbēs vidērī possunt. Ubīque sunt nāvigia splendida. Hūc illūc nautae currunt et omnia parant. Prīmō signum datur et omnia nāvigia portum relinquunt; deinde per aquam celeriter eunt. Nunc nāvigium cīvis nostrī est secundum. Nautae, tamen, nōn sunt ignāvī. Perterritī non sunt. Nūllam rem timent. Animī eōrum excitantur quod nāvigium est secundum. Nunc alia nāvigia superāre cōnstituunt. Nāvigium cīvis nostrī celerius it. In summā nāvī cīvis stat et alia nāvigia spectat. Prīmō nautās laudat; deinde nautīs celeriōrem viam mōnstrat et sīc nautīs imperat: "Heu! etiam nunc aliud nāvigium ante nōs it. Properāte, nautae!"

Nunc iterum nautae excitantur et perīculum sentiunt. Ecce! Prīmum nāvigium tardius it. Saxum nōn videt et nunc

53

īre nōn potest. Tandem AVIS ALBA est prīma. Cīvēs quī prope portum stant inter sē hās rēs dīcunt: "Cīvis noster praemium accipit. Mox ad aliās gentēs ībit et alia praemia accipiet. Aliae gentēs cīvem nostrum laudābunt. Aliae gentēs gentem nostram quae celeria nāvigia habet laudābunt."

LESSON XXVIII

Ōlim locus ubi urbs mea stat erat silva. Bēstiae et barbarī errābant per silvās et trāns flūmina. Tum virī Gallicī hūc vēnērunt. Signa pulchra portābant; splendida īnsignia galeās

et scūta ōrnābant. Barbarī non erant ignāvī sed virī Gallicī novīs armīs armātī erant. Animī barbarōrum erant fortēs sed barbarī timēbant. Erant multa proelia, tamen. Diū pugnātum est. Tandem barbarī castra virōrum oppugnāvērunt et multōs diēs ibi sēdērunt. Cōpia cibī nōn erat satis magna et virī perterritī erant. Saepe colloquia habēbant et **tandem** cōnstituērunt barbarōs oppugnāre. Hoc fēcērunt et sīc in fugam barbarōs dedērunt. Virī Gallicī tamen nōn mānsērunt. Castra mōvērunt et ad flūmen magnum īvērunt.

Deinde virī Britannicī vēnērunt et aedificāvērunt **castra** quae mānsērunt. Prīmō erat oppidum parvum quō virī vēnērunt sī cibum cupiēbant. In portū tamen erant multa nāvigia et multī hīc labōrābant. Multī virī ad hoc oppidum īvērunt et mox erat urbs. Nunc est urbs magna et etiam nunc virī hūc veniunt et manent.

Hī virī quī vēnērunt erant validī et multa intellegēbant. Viās longās et lātās fēcērunt, sed hodiē nōn sunt satis multae neque satis lātae. Terram facimus et in terrā novā viās novās facimus. Illī virī tēcta magna et pulchra aedificāvērunt. Nōs ubīque haec tēcta rapimus et dēlēmus et aedificia magna aedificāmus. Etiam nunc barbarī cēlantur in urbe nostrā et cīvēs miserī sunt. Nōs tamen eōs nōn oppugnāmus neque illī castra quae expugnāre possumus habent. Cīvēs bonōs tamen habēmus et tandem hī cīvēs bonī excitābuntur et nōs illam gentem malam ex urbe nostrā magnā cum laetitiā mittēmus.

LESSON XXIX

Exercitus noster erat in castrīs. Māne erat. Vigilēs erant in moenibus. Undique prōspectābant. Mox vigil mīlitem in equō portātum vidēbat. Mīles celeriter veniēbat. Deinde clāmor factus est. Mīlitēs properāvērunt. Mox galeae erant in capitibus, scūta et gladiī erant parāta, pīla erant in manibus. Dux est prope portam. Tandem mīles appropinquat. Īnsignia quae galeam ōrnant mōnstrant eum amīcum esse. Īnsignia nōn cēlat. Hic est nūntius quī ex fīnitimā gente venit. Hūc venit quod gēns est perterrita. Cīvēs eius gentis nōn sunt ignāvī sed barbarī veniunt et cīvēs sine sociīs non pugnāre audent. Est flūmen prope urbem et barbarī nāvigia nōn habent. Haec est causa morae parvae. Sed mox ad urbem venient.

Dux noster excitātur. Paucōs mīlitēs vocat. Mīlitēs vocātī veniunt et colloquium habent. Tandem cōnstituunt exercitum mittere. Dux partem exercitūs nostrī sēcum dūcere cōnstituit. Partem in castrīs relinquit. Circum moenia castrōrum mīlitēs vāllum aedificābunt. Vāllum aedificātum castra validiōra faciet. Exercitus et dux arma rapiunt. Mox sunt parātī. Agmen faciunt. In prīmō agmine sunt dux et nūntius. Deinde agmen sē movet. Iter nōn longum dux et exercitus facient et mox in fīnibus fīnitimae gentis erunt. Ibi magnum impetum facient et auxilium dabunt. Barbarī urbem nōn expugnābunt. Nōs hīc relictī labōrābimus et castra tūta faciēmus.

LESSON XXX

Herī ego et Mārcus erāmus nūntiī. Epistulam ā patre meō ad fīnitimum portāvimus. Iter erat longum. Per agrōs, trāns flūmen, ad montēs ubi fīnitimus habitābat īvimus. Pars itineris erat grāta. Ubi, autem, dēfessī erāmus iter nōn facere cōnstituimus. Diū prope montem parvum sēdimus. Tum quiētem in hōc locō idōneō cēpimus. Subitō agmen exercitūs magnī vīdī. Ex portīs moenium veniēbat. Agmen erat longum et ad hunc montem veniēbat. Auxilium vocāre nōn poteram quod nōn validus eram, et clāmōrēs facere nōn poteram. Dux exercitūs hoc dīxit: "Hic locus est idōneus castrīs. Hīc manēbimus. Vāllum facite et, vigilēs, prōspectāte. Undique sunt hostēs."

Perterritus nunc eram et mēcum hoc dīxī: "Dux mē nōn videt. Arbor mē cēlat. Silēbō et ille mē nōn vidēbit. Nocte montem relinquam et mox tūtus domī erō."

Subitō dux appropinquāvit et mē vīdit.

"Ecce! Hic, mīlitēs, nōn est cīvis noster. Nōn est Etrūscus. Rōmānus est. In illā urbe habitat. Urbs appellātur Rōma. Illam urbem occupāre cupimus. In illam impetum faciēmus. Vītam huius puerī nōn servābimus. Illum ad summum montem portāte et ibi corpus eius relinquite. Mox urbem vāstābimus et magnam praedam domum portābimus. Aliōs cīvēs necābimus. Properāte." Ita dux dīxit.

Dux ipse gladium rapuit. Subitō ex ulteriōre monte clāmōrēs audītī sunt. Signa exercitūs Rōmānī vidēbantur. Magnam laetitiam sēnsī.

"Deī mē servābunt," dīxī, "quī ōlim Rōmam ab hostibus servābant."

Etrūscī perterritī mē relīquērunt et arma parāvērunt.

Clāmōrēs eōrum mē excitāvērunt. Undique circumspectāvī sed nūlla signa vīdī. Nūlla castra, nūllī hostēs, nūllus dux erat prope.

"Ubi sumus?" rogāvī.

Mārcus quoque excitātus est. Eī omnia nārrāvī. Tum epistulam vīdimus. Tempus erat currere quod necesse erat epistulam fīnitimō ante noctem dare.

"Vīdistīne fortem Horātium?" rogāvit Mārcus. "Ōlim Rōma virtūte Horātī servāta est. Deī auxilium suum dedērunt. Virtūs huius Rōmānī per multās terrās nōta est."

"Hoc sciō," respondī, "quod herī fābulam dē proeliīs quae inter Etrūscōs Rōmānōsque pugnāta sunt lēgī."

Mox erat fīnis itineris et ubi epistulam fīnitimus accēperat, domum īvimus.

LESSON XXXI

Exercitus imperātōrem ūnum habet. Sunt multī ducēs. Imperātor imperat; ducēs pārent. Deinde ducēs imperant et reliquī mīlitēs pārent. In exercitū sunt multae legiōnēs. Circiter tria mīlia mīlitum "legiō" appellantur. Īdem imperātor omnēs legiōnēs quae in exercitū sunt dūcit, sed ūna legiō ūnum ducem habet; itaque in exercitū sunt multī ducēs. Imperātor bonus semper hostēs vincit quod mīlitēs eum amant et laetī eunt ubi dūcit. Semper bonus imperātor castra in locō idōneō pōnit et numquam mīlitēs in locum inīquum dūcit. Ubi pugnat, proelium numquam est in locō inīquō. Imperātor ipse nōn est deus, sed est vir quī virtūtem multam habet et multa scit et multa putat. Sī perīculum est magnum, imperātor ipse mīlitēs dūcit. Tum mīlitēs fortiter pugnant et vincunt.

Ōlim erat malus imperātor. Nēmō eum nōn bonum esse putāvit, sed bona cōnsilia nōn cēpit. Castra nōn in summō monte posuit sed sub monte. Trāns flūmen quod prope castra erat in ulteriōre rīpā erant hostēs fortēs. Bonus imperātor hōs hostēs dūxit. Cōpiās suās dīvīsit. Aliae legiōnēs in castrīs mānsērunt. Aliās legiōnēs trāns flūmen circum montem ad summum montem dūxit et hae subitō dē monte cucurrērunt. Per nivem cucurrērunt. Exercitum hostium vīcērunt et castra expugnāvērunt. Multa mīlia mīlitum necāta sunt et reliquī sē in fugam dedērunt. Magna erat praeda quam hostēs cēpērunt. Ab eōdem imperātōre numquam iterum ille exercitus ductus est quod imperātor bonus nōn erat.

LESSON XXXII

Legiō est pars exercitūs sed legiō ipsa in multās partēs dīvīsa est. Imperātor tōtum exercitum dūcit; lēgātus legiōnem dūcit. Vir quī ūnam ex partibus legiōnis dūcit est centuriō. Temporibus antīquīs illa pars quam centuriō dūxit circiter centum mīlitēs habēbat. Posteā eadem pars nōn tam multōs mīlitēs habēbat.

Ōlim lēgātus et centuriō in eōdem proeliō pugnābant. Proelium erat grave quod locus ubi legiō stābat erat inīquus et legiō sine perīculō ad hostēs prōcēdere nōn poterat. Hostēs quī erant in locō idōneō, in summīs montibus, exspectābant. Post legiōnem et ante legiōnem erant hostēs. In locō inīquō inter montēs manēbat lēgātus et cum mīlitibus exspectābat. Mediā nocte hostēs ā tergō castra oppugnābant. Ante castra hostēs stābant. Lēgātus prōcēdere nōn audēbat. Tandem lēgātus graviter vulnerātus est et ab hostibus captus est. Nōn iam in castrīs suīs lēgātus manēbat, sed cum hostibus in castrīs labōrābat.

Sed comes lēgātī, centuriō bonus, legiōnem ad proelium novum excitāvit.

"Necesse est lēgātum nostrum ab hostibus servāre," inquit centuriō. "Ego nocte ad castra hostium modō agricolae ībō. Modō sociī hostium ībō et auxilium rogābō. Nēmō mē esse hostem sciet. Ita dīcam: 'Agrī meī ab legiōne vāstantur. Tēctum meum paene dēlētum est. Auxilium postulō. Legiō nōn est parāta et vōs nōn exspectat. Ego et cīvēs reliquī vōbīscum eam oppugnābimus.' Tum hostēs ad castra nostra prōcēdent et vōs eritis parātī. Celeriter oppugnāte et omnēs hostēs aut graviter vulnerābuntur aut interficientur." Ita centuriō dīxit. Ita cōnsilia sua cēpit.

61

Sōlus agricolae modō centuriō ad castra inimīca prōcessit.
Quīdam vigil hostium quī in moenibus stābat centuriōnem
in castra dūxit. Imperātor fābulam centuriōnis audīvit, et

ubi cōnsilium scīvit
cum circiter mīlle mī-
litibus ē castrīs ad le-
giōnem iter fēcit. Lē-
gātus et comes eius ab
hostibus nōn vīsī aliā
viā properāvērunt.
Fuga eōrum ab impe-
ratōre nōn nōta erat.
Iam legiō omnia parā-
verat et ad hostēs prō-
cessit. Subitō legiō sub
monte oppugnāvit et
hostēs nōn parātī victī
sunt. Fuga hostium
erat grāta legiōnī.

Posterō diē lēgātus
centuriōnem ad sē vo-
cāvit. Tum eī praemium dedit. Posteā cīvēs centuriōnem
magnā cum laetitiā excēpērunt. Praemium erat corōna cen-
turiōnī grāta. In caput eius posita est. Hōc modō cīvitās laetitiam suam mōnstrāvit.

LESSON XXXIII

Ōlim ad tēctum magnum prope Rōmam vēnērunt latrōnēs. Hī latrōnēs erant saevī et praedam, maximē pecūniam, cupīvērunt. Omnēs quī sē dēfendērunt interficere voluērunt. Hastās tulērunt quās iēcērunt. Hīs multōs graviter vulnerāvērunt et omnēs eōs timuērunt. Hī latrōnēs centuriōnem habuērunt, fuērunt enim circiter centum latrōnēs, sed nōn omnēs ūnum tēctum oppugnāvērunt. In partēs dīvīsī sunt.

Ubi ad hoc tēctum vēnērunt, dominus servōs ad sē vocāvit et gladiīs et pīlīs et hastīs et saxīs latrōnēs excēpērunt. Fortiter omnēs tēctum dēfendērunt. Paene bellum gessērunt. Dominus erat imperātor, nam lēgātus in exercitū Rōmānō fuerat et bellum bene scīvit. Cum paucīs comitibus inter latrōnēs prōcessit et gladiō suō multōs interfēcit. Comitēs eius erant fortēs quod ipse fortis erat. Ubi hoc bellum cum latrōnibus diū gestum est et servī quoque saxīs et tēlīs multōs vulnerāvērunt, latrōnēs ex suīs fīnibus expulērunt.

"Is servus quī centuriōnem latrōnum interficiet," inquit dominus, "corōnam habēbit et eum līberum faciam. Sī cīvitās latrōnēs nōn vincere potest, nōs ipsī eōs expellēmus."

Multī servī sē fortēs probāvērunt et quīdam centuriōnem vulnerāvit sed nēmō eum interfēcit. Ubi expulsus est, latrōnēs convocāvit et omnēs discessērunt. Sī vir scūtō sē dēfendit et bona tēla fert et ā comitibus suīs quoque dēfenditur, difficile est eum interficere.

Ubi latrōnēs discessērunt, dominus servōs convocāvit. Multī ā latrōnibus vulnerātī erant sed nēmō graviter vulnerātus est, et nēmō interfectus est.

"Vōs laudāre volō," inquit dominus, "bene enim hoc bellum gessistis. Celeriter latrōnēs expulistis. Malīs tēlīs bene

tēctum dēfendistis. Bonī servī estis. Crās cēnam magnam
habēbitis.''

LESSON XXXIV

Herī prope mare iacēbāmus, ego et Cornēlius, comes meus. In grāmine iacēbāmus. Pulchrum erat grāmen. Nūllum sonitum hominum audiēbāmus. Sonitum sōlum maris audiēbāmus. Umbra arboris erat nōbīs grāta quod aestās erat et post iter longum dēfessī erāmus. Ubīque in terrā erat pāx. Sed pāx numquam est in marī. Mare semper sē movet. Mare spectābāmus. Nēminem vidēbāmus, quamquam nāvēs vidēre poterāmus.

Mox nōs somnō gravī dabāmus. Hoc nōn erat difficile. Subitō sonitum pedum audīvī. Undique per grāmen circumspectāvī. Ut animālia hostēs suōs spectant, sīc ego per grāmen hostēs meōs spectāvī. Sub umbrā saxī latrōnem vīdī et mox prope saxum aliī, comitēs eius, vidēbantur. Hastās ferēbant. Mē armīs dēfendere nōn poteram quod nūlla arma tuleram. Ā saxō latrōnēs expellere volēbam sed nōn sōlus hoc facere poteram.

Comitem meum vocāvī sed Cornēlius ipse discesserat. Auxilium maximē volēbam. Latrōnēs ab hōc locō expellere volēbam.

"Sī cum latrōnibus bellum geram," ut putābam, "bellum sine hastā atque gladiō gerētur. In tantō perīculō esse nōn cupiō."

Latrōnēs bene mūnītī sunt. Ante saxum erat mare. Post saxum rīpa altissima illum locum mūniēbat. Difficile atque perīculōsum erat latrōnibus appropinquāre. Diū exspectāvī. Nocte saxō appropinquāvī et latrōnēs praedam spectantēs vīdī. Nēminem sonitum pedum meōrum audīre volēbam. In grāmine in ripā post saxum iacēbam. Ita enim vidērī nōn poteram. Verba virōrum audīvī. Cōnsilium eōrum audīvī.

Tēctum patris meī oppugnāre cōnstituēbant. Tum maximē timēbam. Tantum erat perīculum.

"Necesse est," inquam, "patrem monēre. Nūntius erō." Sed pedēs meī movērī nōn poterant. Subitō oculī meī apertī erant. In somnum mē dederam. Ubīque erat pāx. Hīc Cornēlius quoque iacēbat. Oculī eius quoque apertī erant.

"Cūr, amīce," inquit, "tantam cūram in oculīs tuīs videō?"

Tōtam fābulam nārrāvī.

Posteā ad saxum errāvimus sed ibi nēmō erat. Mox tempus erat domum īre. Celeriter properāvimus.

LESSON XXXV

Diū Rōmae rēgēs erant. Rēx omnia fēcit. Erat imperātor exercituum et omnēs rēxit. Imperium summum habēbat. Mox tamen rēx nōn bene imperium gessit et officium neglēxit et populum pressit. Populus erat īrātus et statim rēgem expulit. Deinde cīvitās rēs pūblica facta est et duo cōnsulēs imperium habēbant. Erant aliī magistrātūs quoque. Quaestor pecūniam gessit. Sī umquam magistrātus officium bene gessit, populus huic magistrātuī aliud et altius officium dedit. Sī erat malus magistrātus et populum pressit, numquam iterum officium habuit. Mox nōn iam populus magistrātūs petīvit sed magistrātūs officia petīvērunt. Tum nōn tam bonī erant magistrātūs. Fēlīx est ea cīvitās quae nūllōs nisi bonōs magistrātūs habet! Ut Rōma erat tanta cīvitās, sciō Rōmam multōs et bonōs magistrātūs habuisse.

Hic cōnsul est vir saevus. Officium neglegit, urbem neglegit. In urbe est neque grāmen neque flōrēs neque arborēs quae umbram dant. Nova et pulchra aedificia nōn aedificat. Nēminem nisi sē amat. Urbem nōn mūnit; sī hostēs venient, facile erit urbem expugnāre. Rēs quās cōnsul facit sunt malae. Imperium sōlum sibi vult. Populum sub pedibus suīs premit. Cūr populus nōn hunc cōnsulem expellit? Populus sē in somnum dedit. Ut virī quī dormiunt, nihil faciunt. Hic cōnsul est hostis pūblicus. Auxilium date, cīvēs. Hunc cōnsulem malum ex urbe expellite.

LESSON XXXVI

Ōlim quīdam mīlitēs castellum tenuērunt quod erat prope pontem quī erat in flūmine magnō. In castellō erat neque ūllus magistrātus reī pūblicae neque dux quī magnum imperium habuit. Erat nūllus dux nisi centuriō. Centuriō tamen erat fortis mīles et sī umquam perīculum aderat, centuriō officium suum nōn neglēxit. Hōc tempore centuriō scīvit hostēs appropinquāre. Hoc autem per explōrātōrēs quōs mīserat cognōvit.

Explōrātōrēs celeriter centuriōnem petīvērunt. "Magnī numerī hostium veniunt," inquiunt. "Mox aderunt et nōs graviter prement. Hī hostēs nōs premere possunt quod tam multī veniunt. Semper fēlīcēs sunt; itaque semper per multōs annōs in proeliīs vīcērunt et nōs sumus paucī."

Centuriō paucōs mīlitēs habuit. Virtūtem autem hostium cognōvit sed, quod fortūna fortēs iuvat, pugnāre fortiter cōnstituit. Suās cōpiās in duās partēs dīvīsit quamquam paucae erant. Alteram partem intrā moenia manēre iussit. Alteram partem autem post arborēs longē ā castellō latēre iussit. Ubi hostēs, circiter septem mīlia mīlitum, vēnērunt, cum comitibus quī intrā castellum erant centuriō celeriter ex castellō cucurrit, hostēs statim oppugnāvit, eōs reppulit. Hostēs erant fortēs et discēdere nōn voluērunt sed, quod tam celeriter centuriō vēnit, repulsī sunt. Ut hī hostēs discēdēbant, mīlitēs quī latēbant subitō eōs oppugnāvērunt. Necesse erat igitur hostēs pugnāre cum eīs quī ā tergō vēnērunt et cum eīs quoque quī erant ante ipsōs. Eōdem tempore ex utrīsque partibus oppugnātī sunt. Multī mīlitēs centuriōnis reppulērunt, deinde per fugam salūtem repperērunt, sed multī interfectī sunt.

Ubi hostēs discessērunt, utraque pars mīlitum ad castellum
īvit. Centuriō omnēs laudāvit et quod omnibus salūtem tulit
omnēs sēnsērunt centuriōnem bene regere.

LESSON XXXVII

Haec est īnsula ubi exsul paene sōlus habitat. Amīcōs suōs nōn videt. Quandō est hostis, exsul est et hic exsul numquam iterum patriam vidēbit. Septem annīs anteā in hunc locum pervēnit. Magistrātūs patriae, virī magnā vī, exsulem domum venīre nōn sinunt quod ōlim ipse hostem patriam intrāre sinēbat. Tum erat victōria hostium quī diū intrā fīnēs patriae manēbant. Hic vir erat nōn sapiēns at perfidus. Cīvēs sapientēs salūtem patriae cupiunt. Nunc exsul nihil habet. Patriam, amīcōs, domum, patrem, mātrem nōn videt. Semper, autem, sē iterum domum itūrum esse spērat. In numerō hostium cīvitāte habētur.

Hōc modō vir exsul factus est: Ōlim patria diū cum hostibus pugnāverat. Uterque exercitus, bellō dēfessus, pācem cupiēbat. Mīlitēs officia neglegere et domum īre paene parātī erant, sed uterque exercitus victōriam cupiēbat.

"Quō modō pāx esse potest sine victōriā?" rogāvit magistrātus maximus.

Mīlitēs vōcem magistrātūs audiēbant et diūtius in bellō manēbant. Paucī mīlitēs, autem, magistrātūs patriae nōn laudābant. Apud eōs erat exsul, explōrātor bonus, quī interdum cōnsilia hostium cognōscēbat.

"Quō tempore erit fīnis bellī?" explōrātor cum aliīs mīlitibus inquit. "Nisi mox fīnis erit, salūtem fugā petam."

Paucīs diēbus posteā explōrātor ē castrīs iit. Flūmen exercitum explōrātōris ab alterō exercitū dīvīsit. Trāns pontem properāvit et noctū in castellum hostium pervēnit. Scūtum et galeam et alia tēla hostium portāvit et nōn cognōscēbātur. Mox ille et ūnus ex hostium explōrātōribus erant amīcī. Uterque bellō dēfessus pācem petīvit. Mox cōnsilium cēperant.

"Pecūniam tibi dabō," inquit hostis, "sī cōnsilia exercitūs tuī nārrābis. Quantam pecūniam postulās?"

Posterā nocte duo explōrātōrēs diū prope pontem latēbant. Exercitus hostium oppugnāre erat parātus. Cōnsilia exercitūs patriae cognita erant. Mox tēla coniciēbantur et prīmō mīlitēs patriae repellēbantur, sed victōria hostium nōn erat longa. Ducēs mīlitum patriae dē explōrātōre perfidō iam cognōvit et cōnsilia nova cēpērunt. Multās hōrās erat pāx inter duōs exercitūs. Exercitus patriae tandem iterum multa tēla coniciēbat et hōc modō hostēs quī nihil hōrum cōnsiliōrum cognōverat superātī sunt.

"Quandō hic explōrātor perfidus fuit, eum capiēmus et ad īnsulam mittēmus," inquiunt cīvēs post victōriam. "Eum in patriā manēre sinere nōn possumus. Vōcem eius iterum audīre in animō nōn habēmus. Exsul erit et longē ā patriā habitābit. Nisi exsul erit, hīc vīta eius in perīculō erit."

Itaque hic vir sōlus in īnsulā manet et in numerō hostium habētur.

LESSON XXXVIII

Ōlim erant duo frātrēs. Alter erat vir magnā vī. Sapiēns erat et amīcus fīdus nōbilisque, at ā frātre nōn amābātur. Agricola erat. Diū dīligenterque labōrāverat et ā fīnitimīs maximē amābātur. At alter frāter, vir perfidus et inīquus, neque tēctum habēbat neque ab amīcīs amābātur. Frātrem quī agrōs et multōs equōs et tēctum et fīliōs fīliāsque habēbat is vir numquam laudābat. Omnēs hās rēs frāter perfidus dēsīderābat et ipse nōn habēbat. Vir perfidus erat servus. Rēs dominī, autem, nōn dīligenter cūrābat.

Nōn saepe alter frāter alterum vidēbat quod erant tantī inimīcī. Ōlim autem, ubi multī agricolae servīque in oppidō conveniēbant, hī duo frātrēs quoque ibi erant. Alter, vir sapiēns, alterum salūtāvit. At servus nōn respondit et īrātus vidēbātur. Posteā, ubi frāter sapiēns sērō ab oppidō redībat, sōlus per silvam ambulāre coepit. Subitō vōcem audīvit. Sē vertit at nihil vīdit. Iterum ambulāre coepit. Usque ad pontem pervēnerat. Breve tempus hīc manēbat. Subitō in cōnspectū erat figūra frātris eius, servī. Usque ad pontem servus vēnit et, "Sī flūmen trānsīre audēbis," inquit, "tē occīdam. Mihi pecūniam dā. Quantam tēcum habēs?"

Cōnspectus frātris eius nōn erat grātus agricolae, cuius tēla domī erant. Sēcum hoc dīxit: "Quō modō mē dēfendam? Quantum est perīculum! Quandō iterum in locō tūtō erō?"

Tum vir sapiēns frātrī tōtam pecūniam dedit et, "Pecūniam tibi dō," inquit. "Nōlī mē occīdere. Mē domum redīre sine. Es frāter meus et tibi auxilium dabō." Sed hae rēs nōn erant grātae servō quī tēlum subitō cēpit et impetum facere coepit. Agricola, autem, sē vertit et ubi saxum reppererat hoc in caput frātris coniēcit. Servus vulnerātus at nōn occīsus est. Victōria erat agricolae. Sērō domum redībat frātrem vulnerātum portāns.

Post multōs diēs servus iam validus, "Ad dominum meum," inquit "redīre nōn cupiō, at tēcum manēre. Mihi vītam bonam mōnstrāvistī. Tū es amīcus meus. Numquam iterum mē tibi perfidum futūrum esse spērō."

Agricola tandem frātrem manēre sinēbat. Nōn iam erat servus exsul ā tēctō frātris suī et usque ad fīnem vītae servus bonus erat.

"Per multōs annōs centuriō fuī. Anteā fuī mīles quī cum
aliīs mīlitibus pugnābam. Saepe eīs diēbus eram vigil. Vigilēs
vesperī in moenibus dispōnēbantur. Nihil in bellō tam necesse

est quam vigilēs bonī. Nox in quattuor partēs 'vigiliās' vocā-
tās dīviditur. Per omnēs vigiliās vigilēs prōspectant. Sī
hostēs vīsī sunt, vigilēs clāmōribus magnīs comitēs incitant.
Omnēs tum tēla omnī genere sūmunt et hostēs repellunt.
Multās noctēs prīmī vigilēs prīmā vigiliā conveniunt, per
tōta moenia dispōnuntur, usque ad vigiliam secundam ma-

nent; tum aliī hōs succēdunt, hīs deinde ab aliīs tertiā vigiliā succēditur et sīc nox it, sed hostis nūllus vidētur.

Sī nocte hostēs castra oppugnant, semper magnā vī impetum faciunt. Sī possunt, mīlitēs ā moenibus pellunt, ad moenia currunt, portās frangunt. Secūrēs sēcum portant et nōn gladiīs sed secūribus portās caedunt. Deinde gladiīs et tēlīs omnī genere pugnant. Intereā etiam omnēs quī sunt in cōnspectū secūribus occīdunt. Numquam terga vertunt sī homō aut praeda ūllō genere est relicta.

Ubi omnēs occīsī sunt aut captī sunt et praeda in ūnum locum portāta est, praedam sēcum portant et ad castra sua trānseunt. Saepe redeunt et tandem omnem praedam sēcum ferunt.

Ad tēctum meum mēcum venī. Nōlī hīc manēre. Apud mē est secūris quam in quōdam proeliō cēpī. Apud nūllum alium hominem est secūris tam antīqua. Hanc secūrim ex locō sūmam et eam tibi ostendam, deinde iterum ad locum restituam. Mēcum venī."

Laetus ego, puer parvus, cum nōbilī virō iī. Laetus secūrim spectāvī. Diū mānsī et fābulās audīvī. Bella antīqua intellegere coepī. Sērō tēctum relīquī et domum meam rediī.

LESSON XL

Prō comitibus suīs fortis eques stetit et hoc dīxit: "Nōs sumus cīvēs quī in rēgnō habitāmus. Rēx quī nōn hīc habitat imperium in hōc rēgnō habet. Nōs rēgī omnia quae petit damus et multōs annōs dedimus. Omnia imperāta rēgis facimus. Intereā quid rēx nōbīs dat? Quid recipimus ex rēge? Honōremne an iniūriam recipimus? Utrum vult rēx? Pācem? An bellum? Quid nōs facere dēbēmus? Quid facere possumus? Apud mē sunt tēla. Haec tēla sūmam. Vōs quoque tēla capite. Nōlīte ad loca eōrum ea restituere. Prō cīvibus usque ad fīnem vītae pugnābimus!"

Ex illō locō exiērunt illī cīvēs et magnā vī pugnāre coepērunt. Tum bellum grave inceptum est. Castella et castra rēgis cīvēs circumvēnērunt et ignibus dēlēvērunt. Numquam cīvēs sē recēpērunt at semper mīlitēs rēgis fūgērunt. Vigilēs dispositī sunt; alter vigil alterum successit (vigiliās nōn habuērunt quod nōn erant Rōmānī); pontēs frāctī sunt et secūribus caesī sunt. Omnia genera tēlōrum cīvēs habuērunt quod paucī cīvēs mīlitēs fuerant ubi bellum inceptum est. Cīvēs urbis huius pācem amāverant. Tamen quamquam mīlitēs nōn fuerant, cīvēs validī fuerant et mox mīlitēs bonī factī sunt. Diū pugnātum est. Tandem cīvēs vīcērunt et hodiē nōs sumus līberī quod eques fortis hoc dīxit: "Rēx nōbīs nōn benignus est. Līber erō aut moriar."

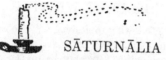

SĀTURNĀLIA

Rōmae, temporibus antīquīs, septimus diēs nōn erat diēs quiētis. Semper virī et fēminae labōrābant. Sed saepe fēriae erant. Tum virī nōn labōrābant sed multum edēbant et multum bibēbant et ad lūdōs ībant. Puerī et puellae ad scholam nōn ībant.

Magnae fēriae erant mēnse Decembrī et "Sāturnālia" appellābantur. Per hās fēriās nūllus labōrābat. Servī nōn labōrābant et togās habēbant et per viās ambulābant. Omnēs erant laetī et per viās "Iō Sāturnālia! Iō Sāturnālia!" exclāmābant. Omnēs amīcīs dōna dabant. Dōna erant cēreī. Multī cēreī in tēctīs clārās flammās dabant. Prīmō hae fēriae per trēs diēs manēbant. Diēs erant ante diem XVI Kalendās Iānuāriās, ante diem XV Kal. Iān., a.d. XIV Kal. Iān. Posteā hae fēriae septem diēs manēbant.

Puerī et puellae erant laetī per fēriās. Puerīs et puellīs quoque dōna dabantur. Dōna erant sigilla. (Sigillum est parvum. Factum est ex terrā. Parvī puerī et puellae sigilla amant.) Diēs cum sigilla dabantur "Sigillāria" appellābantur.

Per Sāturnālia omnēs aliōs amābant, omnēs erant amīcī. Omnēs cēnās magnās parābant ubi servī edēbant et dominī cēnam dabant. Omnēs erant benignī, omnēs erant laetī.

Nunc nōs quoque mēnse Decembrī fēriās habēmus. Diēs paene habēmus quae erant fēriae Rōmānōrum antīquōrum. Multa facimus quae Rōmānī faciēbant. Dōna damus et sumus benignī et laetī. Nōs fēriās habēmus quod Christus nātus est.

TOPICS FOR FREE WRITING

To the Pupil: From the following topics you will choose one or more as your teacher directs at the end of each lesson and write a story of your own. You will write from one-half to a page of Latin, the best story you can write with the words that you know. While you are writing you will not refer to your book.

I

Puer Magnus
Puella Parva Sum
Discipula Pulchra
Hic est Magister Bonus

II

Māter Mea
Fīlius et Fīlia Fēminae
Magistra et Discipulī
Frāter Altus

III

Patria Mea et Patria Tua
Īnsulae Pulchrae
Italia est Terra Antīqua
Via Mea
Frāter Meus Cubam Amat

IV

Agricola Laetus
Quis Epistulam Portat?
Fīlius Agricolae in Agrō Labōrat
Cēnam Parō
Fāma Scholae Novae

V

Vīta Nautae est Perīculōsa
Nauta Sum
Vir Epistulam Scrībit
Incola Īnsulae

VI

Magistra Fābulam Nārrat
Agricola Epistulam Legit
Puer Mihi Grātiās Agit
Poēta et Pecūnia
Quis est Hic Vir?

VII

Ex Fenestrā Meā
Dōnum Grātum
Ubi Habitās?
Cum Patre in Silvā Ambulō
Poēta Pictūram Ostendit

VIII

Rosae Nostrae
Magister Mē Laudat
Epistulam Exspectō
Ex Scholā Properāmus

IX

Noctū
Medicus Properat
Puer Aeger
Agricola est Miser

X

Amīcus Noster
Discipulī Impigrī
Hodiē Sōlus Sum

78

Medicus Pecūniam Dat
Vesperī

XI

Tabernāculum Habeō
Praemium Patris Meī
Hodiē Saltāmus
Nauta est in Oppidō

XII

Fēmina Lacrimat
Domī
Tēctum Nostrum
Puer Malus
Hōrae Longae

XIII

Hortus Meus
Duōs Equōs Videō
Colloquium Nautae et Agricolae
Noctēs Longae
Equī Timent

XIV

Mīles et Arma
Dux Mīlitum
Cōnsilium Mīlitis
Mīlitēs Dēfessī
Dux et Praemium

XV

Quī sunt Hī Trēs Puerī?
Trēs Sagittae
Mārcus Sagittās Portat
Sagittārius Animal Videt
Post Cēnam

XVI

Quid in Oppidō Vidēs?
In Carrō
Pater Iānuam Aperit

Trāns Viam
Aliquis Vocat

XVII

Fīnitimī Auxilium Dant
Sociī Nostrī
Bella Antīqua
Oppidum est in Perīculō
Quid Videō?

XVIII

Epistulam Accipiō
Sine Oculīs
Dux Caecus
Hostem Necāmus
Prō Patriā Nostrā

XIX

Flūmen Pulchrum
Mūrus est Circum Hortum
Castra Nostra
Dux Noster Auxilium Postulat

XX

Avunculus Meus et Eius Inimīcī
Ōlim
Quis Audet?
Prīmus Diēs Hiemis

XXI

Oppidum ā Barbarīs Dēlētur
Barbarus Vītam Meam Servat
Tē Moneō
Dux Noster Captus est

XXII

Vir et Eius Servus
Ad Tēctum Amīcī Meī Invītor
Sine Armīs
Post Mūrum
Colloquium Duōrum Mīlitum

XXIII

Dominus Dūrus
Servī Perfidī
Epistulam in Viā Reperiō
Dominus Quī Numquam Imperat

XXIV

Liber Novus
Clāmōrēs
Rēx Īrātus
Rēx Auxilium Postulat

XXV

Prope Urbem
Post Tergum Meum
Bēstiae Ferae

XXVI

Nāvicula Mea
In Flūmine
Nāvem Aedificāmus
Castra Nostra sunt in Saxō
Prope Rīpam

XXVII

Perīculō Appropinquō
Sine Cibō
Diēs Grātus
In Summō Colle

XXVIII

Cīvis Clārus
Media Nox
Avis Alba
Dux Noster Signum Dat

XXIX

Vigilēs Sumus
In Mūrō
Nūntius Epistulam Dat

Ex Moenibus
Fīnis Bellī

XXX

Ecce! Hostēs!
Agmen Longum Venit
Cum Virtūte
Nauta Iter Facit

XXXI

Cuius Pictūra est Haec?
Prīma Legiō
In Locō Inīquō
Imperātor Vītam Suam Dat
Fuga Secundae Legiōnis

XXXII

Centuriō et Centum Mīlitēs
Cīvitās Excitātur
Comes Meus
Corōna Datur

XXXIII

Agricola Sē Dēfendit
Lēgātus Discēdit
Latrōnēs ex Urbe Expelluntur

XXXIV

Prope Mare
Sonitum Audīmus
Pedēs Dēfessī
Tēctum Meum Mūniō

XXXV

Quis Regit?
Rēs Pūblica Fēlīx
Magistrātus Quī Officium Neglēxit
Cōnsul Rōmānus Sum

XXXVI

Trāns Pontem
Intrā Castellum

Septem Explōrātōrēs
Colloquium Explōrātōrum

XXXVII

Vōx Magistrātūs
Victōria
Sine Domō et Amīcīs

XXXVIII

Exercitus Redit
Impetus Hostis
In Cōnspectū Maris
Nūntius Pontem Trānsit

XXXIX

Mūrus Frangitur
Prīma Vigilia
Apud Amīcōs
Arborem Caedō

XL

Prō Honōre Cīvitātis
Iniūriās Accipimus
Eques Fugit
Ignem Spectō
Hostis ē Regnō Expellitur

DICTATION LESSONS

To the Pupil: The dictation lessons that follow are lessons in Latin that will be read to you in Latin by your teacher. You will be expected to write them in Latin correctly and to understand what they mean as you hear them.

DICTATION—LESSON I

Hic est discipulus.
Hic est puer.
Hic est magister.

Haec est puella.
Haec est discipula.
Haec est magistra.

Salvē, puer.
Salvē, puella.
Salvē, discipula.
Salvē, discipule.

Puella est bona.
Puella est parva quoque.
Puella est pulchra quoque.
Fēmina est magna.
Magistra est alta.
Magistra nōn est pulchra.

Hī sunt puerī.
Hī sunt discipulī quoque.
Haec est puella et haec est puella.
Hae sunt puellae.

Valēte, puerī.
Valēte, discipulī.
Valēte, puellae.
Valē, magistra.

DICTATION—LESSON II

Salvē, māter.
Salvē, soror.
Salvēte, puerī.

Hīc sunt fēmina et fīlius et fīlia.
Fīlia est pulchra et bona quoque.

Fīlius nōn est pulcher, sed puer est bonus.
Fīlius et fīlia sunt parvī. Māter nōn est parva.
Haec nōn est mea māter; nōn est tua māter.
Est māter puerī et puellae.

Puer est frāter puellae.
Puella est soror puerī.
Fēmina est māter puerī et puellae.

Fēmina puellam amat.
Māter fīliam amat.
Fēmina puerum quoque amat.

Māter fīlium amat.
Amāsne puellam, puer?
Ita. Puellam amō.

Estne māter nunc hīc?
Nunc māter hīc nōn est.

Valē, soror.
Valē, frāter.
Valēte, puer et puella.

DICTATION—LESSON III

Britannia nōn est patria mea sed Britanniam amō.
Britannia nōn est terra magna.
Britannia est īnsula.

Amāsne Italiam?
Italia nōn est patria mea sed Italiam amō.
Fāma Italiae est magna.
Fortūna Hiberniae nōn est bona.

Haec via est via longa et est via nova.
Via nōn est antīqua.

Amatne soror tua viam novam?
Amatne frāter tuus viam antīquam?
Estne haec via pulchra?

DICTATION—LESSON IV

Quis est hic?
Agricola est hic.
Ubi est agricola?
In agrō est agricola.
Cūr est agricola in agrō?
Agricola est in agrō et haec est causa: quod in agrō labōrat.
Quid portat agricola? Intellegisne?
Nōn intellegō.

Ubi est fīlius agricolae?
In scholā est fīlius agricolae.

Ubi est māter puerī?
In casā est māter puerī. Māter cēnam parat.

Nunc agricola cēnam cupit.
Nunc puer epistulam portat.

Cūr puer epistulam habet?
Puer in scholā nōn labōrat et magistra nōn est laeta.

Ager agricolae nōn est magnus; est parvus.
Fortūna agricolae nōn est bona.
Fāma agricolae nōn est magna.

DICTATION—LESSON V

Agricola in Americā habitat.
Agricola est incola Americae.

Nauta in Britanniā habitat.
Nauta est incola Britanniae.
Poēta est incola Italiae.

Nauta multās terrās videt.
Interdum nauta Americam videt.

Saepe nautās laudāmus.
Semper bonōs nautās laudāmus.
Vīta nautae est perīculōsa quod aqua est perīculōsa.

Hic vir est agricola.
Agricola magnam pecūniam nōn habet.
Poēta quoque magnam pecūniam nōn habet.

Agricola in agrō labōrat.
Poēta quoque labōrat, sed in agrō nōn labōrat.
Poēta scrībit.
Poēta scrībere cupit. In agrō labōrāre nōn cupit.

Amāmusne amīcōs?
Amīcōs meōs amō et laudō quoque.

To the Pupil: From this point on, following each dictation lesson, there will be a dictation-and-imitation lesson. These lessons in one or more sentences give you a pattern in Latin. Several sentences in English are then given, which you are to write as a Roman would write them in Latin. The first lessons will follow the pattern rather closely. In later lessons you are expected to remember and use what you have learned before, and to follow your pattern not slavishly, but wisely.

DICTATION AND IMITATION—LESSON V

Puella est bona.
Puella nōn est parva.

The girl is big.
The girl is tall.
The girl is pretty.
The teacher also is good.

Puer est bonus.
Puer est altus.

The boy is big.
The boy is not little.

Puer est pulcher.

The man is handsome.
The teacher (man) is handsome.
The boy-pupil is good-looking.

Agricola est magnus.

The sailor also is big.
The poet is tall.
The sailor is handsome.

DICTATION—LESSON VI

Haec puella est Cornēlia, pulchra fīlia agricolae.
Hic vir est agricola, pater Cornēliae.
Hic vir est nauta, frāter Cornēliae.

Agricola fīliae pecūniam dat.
Māter puellae dōnum dat.
Dōnum est pecūnia.
Fēminae dōnum dō.
Dōnum nōn est pecūnia.

Tibi fābulam nārrō.
Tibi pictūram ostendō.
Amāsne pictūrās?
Mihi pictūram dā.
Grātiās agō.
Nunc pictūram spectō.
Tibi nunc virōs et fēminās mōnstrō.
Nunc tibi fābulās legō.

Habēsne pulchra dōna?
Ita. Multa dōna habeō.
Quae sunt dōna?
Pictūrae sunt dōna. Pater meus pictūrās ex multīs terrīs portat.
Pictūrae nautārum semper sunt pulchrae.

DICTATION AND IMITATION—LESSON VI

Puellae sunt bonae.

The girls are little.
The girls are pretty.
The women are tall.
The teachers are good.

Puerī sunt pulchrī.

The boys are tall.
The men are handsome.
The teachers (men) are good.

Nautae nōn sunt bonī.

The farmers are big.
The poets are not tall.

Magistra puellam amat.

The teacher praises the girl.
The girl likes the teacher.
The farmer does not like the poet.

Nauta epistulam habet.

The farmer does not have the picture.
The farmer sees the picture.
The farmer wants the picture.
The farmer has the letter.
The farmer wants money.

DICTATION—LESSON VII

Ibi est casa agricolae.
Iānua casae clausa est.
Casa multās fenestrās habet.
Fenestrae apertae sunt.
Casa agricolae est casa parva.
Agricola casam laudat.
Casa est grāta agricolae.

Interdum agricola rosās cūrat.
Interdum agricola in silvā ambulat.
Cum agricolā fīlia parva interdum ambulat.

Agricola est vir benignus.
Semper agricolae sunt benignī amīcīs.
Agricolae sunt benignī puellīs parvīs quoque.
Agricola nōn est clārus vir, sed est vir benignus.

DICTATION AND IMITATION—LESSON VII

Amāsne magistram?
Ita. Magistram amō.

Do you praise the girl? Yes. I praise the girl.
Do you like the poet? Yes. I like the poet.
Are you preparing dinner? Yes. I am preparing dinner.

Vidēsne agricolam?
Ita. Agricolam videō.

Do you have money? No. I do not have money.
Do you want dinner? Yes. I want dinner.

Māter mea fīliam amat.
My sister likes the teacher.

Pater meus puellam amat.
My brother praises the poet.

Casa agricolae est parva.

The sailor's cottage is not pretty.
The poet's fortune is not good.
The farmer's fame is not great.
The windows of the cottage are open.

Casa puerī est nova.

The man's cottage is big.
The boy's sister is small.

DICTATION—LESSON VIII

Schola nostra est schola bona.
Ad scholam properāmus quod scholam amāmus.
In scholā nostrā linguam Latīnam discimus.
Linguam Latīnam discere cupimus.

Linguam Latīnam legimus et scrībimus.
Discimus quod discere exspectāmus.
Magistra fābulās dē Rōmānīs nārrat.

DICTATION AND IMITATION—LESSON VIII

Agricola in viā ambulat.

The boy sometimes walks in the water.
The sailor is walking in the forest.
The woman is working in the cottage.

Agricola in agrō labōrat.

The boy is working in the field.

Ager agricolae est magnus.

The farmer's cottage is small.
The door of the cottage is closed.

Schola puerī est clāra.

The boy's letter is long.
The man's roses are beautiful.

DICTATION—LESSON IX

Esne aeger, puer?
Nōn sum aeger.
Estisne miserī, puerī?
Nōn sumus miserī.

Esne misera, puella?
Nōn sum misera.
Estisne aegrae, puellae?
Minimē. Nōn sumus aegrae.

Estne lūna obscūra?
Suntne stellae clārae noctū?

Ambulatne puer sōlus?
Ita. Puer sōlus ambulat.
Properā, puer. Tardus es.

Ubi est medicus?
Medicus quoque sōlus ambulat.

DICTATION AND IMITATION—LESSON IX

Quem laudās? Amīcum meum laudō.

Whom do you love? I love my friend.

Quōs laudās? Amīcōs meōs laudō.

Whom do you love? I love my friends.

Semper amīcōs laudāmus.

We love our friends.
We live in America.

Saepe puellās laudāmus.

We praise sailors too. We praise poets.

Nunc puerōs laudāmus.

We sometimes praise men.
We always praise good boy-pupils.

Cupisne linguam Latīnam discere?

Do you want to work in the fields?
Do you want to see the picture?
Do you want to walk in the road?
Do you want to write a letter?

DICTATION—LESSON X

Cum lūna est obscūra, stellās spectāmus.

Herī puer erat impiger.
Erāsne impiger herī, puer?
Ita. Herī eram impiger.

Erātisne laetī herī, puerī?
Ita. Herī laetī erāmus.
Puellae quoque herī erant laetae et impigrae.
Hodiē quoque puellae sunt laetae.

Vesperī medicus erat in casā agricolae.
Medicus medicīnam portat.

Ubi stō? In viā stās.
Ubi nunc stāmus? Nunc in casā stātis.

Agricola in casā stat.
Fīlia agricolae et māter fīliae quoque in casā stant.

DICTATION AND IMITATION—LESSON X

Nauta puellae dōnum dat.

The sailor gives the farmer a present.
The sailor gives the woman a present.
The sailor gives the poet money.
The sailor gives the girl a picture.

Dōnum est pulchrum.

The gift is pleasing.
The gift is big.
The gift is little.

Dōna sunt pulchra.

The gifts are small.
The gifts are pleasing.
The gifts are big.

Multa dōna dō.

I have many gifts.
I see beautiful gifts.
I like the gifts.

In viīs multōs puerōs videō.

I see boys in the forests.
I see boys in the cottages.
Sailors see boys in many lands.

Agricola ex agrō ambulat.

The boy is walking out of the cottage.
The doctor is walking out of the woods.
The man is walking out of the water.
The sailor brings presents out of many lands

Mihi et tibi puer dōnum ostendit.

The man is showing me the picture.
He is showing you the letter.
He is telling me a story.
He is giving you a letter.

Agricola, amīcus meus, est impiger.

Cornelia, the farmer's daughter, is sick.
The doctor, the farmer's friend, is kind.
Julia, Cornelia's mother, is good.

Fābulās nautārum laudō.

I do not like farmers' stories.
I like poets' cottages.
I am looking at the girls' letters.

DICTATION—LESSON XI

In oppidō est tēctum magnum.
Diū in tēctō maneō.
Oppidum est grātum mihi.

Aestāte in oppidō nōn maneō.
Aestāte in tabernāculō in silvā habitō.

Aestās est grāta mihi.
Aestāte saltō et ambulō et validus sum.

Fēmina tibi pecūniam dat.
Vir dīcit fēminam tibi pecūniam dare. Praemium dat quod epistulās ad oppidum portās.

DICTATION AND IMITATION—LESSON XI

Agricola fīliae pecūniam dat.

The sailor is giving the girl a present.
The doctor gives the girl a reward.
The poet is giving the farmer money.

Pecūnia puellae grāta est.

The cottage is pleasing to the farmer.
His daughter is dear to the sailor.

The roses are pleasing to the woman.
The stars are pleasing to Cornelia.

Dōnum puerō grātum est.

The reward is pleasing to the boy.
The money is pleasing to the man.
His daughter is dear to the doctor.

Dōna sunt grāta virīs et fēminīs.

Forests are pleasing to men.
The tent is pleasing to the boys.

The reputation of the school is dear to the teachers.
The reputation of the school is dear to the pupils.

Cum puellā et puerō ambulat vir.

The boy is walking with the woman.
He is walking with his friend.
The girl is walking with the doctor.

Cum amīcīs ambulāmus.

We are walking with the boys.
We are walking with the men.
We are walking with the sailors.

Tēcum ambulō.

You are walking with me.

DICTATION—LESSON XII

Hic puer nōn est bonus; est malus.
Puer lacrimat.
Puerum malum ad sē māter vocat.
Puer ad mātrem nōn it.
Māter est maesta quod puer est malus.
Mox māter puerō pecūniam dat.
Estne puer nunc bonus? Minimē. Malus est.

Post ūnam hōram domum eō.
Nunc domī sum. Diū domī maneō.

DICTATION AND IMITATION—LESSON XII

Magistra puerōs et puellās amat.

The teacher likes the boy-pupils.
The teacher praises the girl-pupils.
I like my friends.
The man is calling the sailors.

Fābulae virōrum nōn sunt longae, sed fābulae fēminārum sunt longae.

The pictures of the cottages are pretty.
The gifts of the sailors are new.
The rewards of the boys are pleasing.
My friends' daughters are dear to me.

Agricola ad oppidum it. Mox ad casam it.

The farmer is going to the big house.
The farmer is going to the forest.
The farmer is going to an island.
The farmer is going to the water.
He is going to the tent.

Puer dē casā et dē agrīs et dē amīcō nārrat.

The boy tells about the forest.
He tells about the big house.
He tells about the sailor.
He tells about his friends.

DICTATION—LESSON XIII

Equus quī in hortō labōrat nōn est albus.
Duo equī quī in stabulō stant sunt albī.
Ūnus equus in hortō labōrat; duo equī in agrō labōrant.
Hieme equōs timeō, sed nūllum perīculum est.
Tum agricola equīs frūmentum dat, et equī nōn multum labōrant.

In hortō sunt rosae et līlia et aliī flōrēs.
Hieme in hortō est quiēs.
Virī ibi nōn labōrant quod ibi sunt nūllī flōrēs.

Audīsne equum amīcī meī?
Equum nōn audiō.

Vesperī agricolae cēnam edunt.

Tum colloquia cum fīliīs et fīliābus habent.

DICTATION AND IMITATION—LESSON XIII

Iūlia, fīlia nautae, est amīca Cornēliae.

Cornelia, the farmer's daughter, is a friend of the woman's
Julia, the poet's daughter, is a friend of the girl's.

Mārcus, fīlius agricolae, est amīcus Cassī.

Cassius, the sailor's son, is a friend of the man's.

Iūlia cum nautā in viā ambulat.

Cornelia is standing in the cottage with the farmer.
The girl is walking in the woods with the woman.

Puer cum virō in agrō labōrat.

The man is standing in the garden with the boy.
The man is walking in the town with another man.

Agricola Cornēliae pecūniam dat.

The woman is giving the sailor money.
The girl is showing the farmer a picture.
The girl is pointing out the cottage to the sailor.

Vir puerō dōnum dat.

The man is giving his friend a reward.
The boy is giving his friend a present.
The boy is giving the horse grain.

Virī puerīs et puellīs dōna dant.

The teachers are giving the pupils prizes.
The men are giving the sailors money.
The women are showing the girls pictures.

Fābulās agricolārum, sed nōn fābulās medicōrum, amō

I praise my friends' stories.
I do not like the teachers' pictures.
I see the stables of the horses.

Duōs equōs videō.

I have two friends.
I see two men.
I like my two friends.

DICTATION—LESSON XIV

Mīles Rōmānus bona arma et bona tēla portat.
Mīlitēs Rōmānī galeās, gladiōs, pīla, scūta habent.
Pīlum est longum, gladius est lātus.
Pīlō et scūtō mīles pugnat.
Scūtō et galeā mīles sē tegit.
Scūtum est magnum, galea est parva.
Post bellum mīles dēfessus est.
In bellō mīles pugnat, sed cōnsilium nōn capit.
Dux cōnsilium capit.
Mīles nōn domī sed in castrīs habitat.
Sī mīles ā castrīs it, est malus mīles.

DICTATION AND IMITATION—LESSON XIV

Esne mīles, puer? Minimē. Mīles nōn sum.

Are you a farmer? No. I am not a farmer.
Are you a leader? No. I am not a leader.
Are you a teacher? No. I am not a teacher.

Estisne ducēs, puellae? Minimē. Ducēs nōn sumus.

Are you soldiers, boys? No. We are not soldiers.
Are you poets, men? No. We are not poets.

Mīles nōn es, dux nōn sum.

You are not a poet and I am not a farmer.
I am not a girl and you are not a man.

Britannī nōn estis; Italī nōn sumus.

We are not men and you are not women.
We are not handsome and you are not sick.
You are not energetic and we are not tired.

Hic mīles est bonus. Hī ducēs sunt bonī.

This father is happy but these mothers are sad.
This boy is tired but these men are not energetic.

DICTATION—LESSON XV

"Haec," inquit mīles, "est pictūra trium amīcōrum.
Ego medius stō. Ā dextrā stat Titus. Ā sinistrā stat Pūblius.
Nōmen meum est Mārcus.
Sī ā sinistrā legis, prīmus est Pūblius, ego sum secundus, Titus est
tertius.
In mēnsā sunt quattuor sagittae et iaculum.
Trēs sagittae sunt novae.
Sagittārius sum.
Sagittās capiō et in silvam eō.
Ex silvā animālia portō.
Tum numquam pīlum et gladium portō, sed galea caput meum tegit.
Hoc saepe faciō."

DICTATION AND IMITATION—LESSON XV

Hodiē laeta sum, sed herī nōn eram laeta.

Today I am energetic, but yesterday I was not.
Today I am tired, but yesterday I was not.

Nōn laeta erās, sed puer erat laetus.

You were not happy, but the girl was.
You were not kind, but your mother was.
You were not tired, but the man was.

Miserī erāmus, sed puerī erant laetī.

We were sad because the girls were sick.
We were happy because the men were not sick.
We were tired, but the sailors were not energetic.

Numquam maestī erātis.

You were never kind.
You were never energetic.
You were never sick.

DICTATION—LESSON XVI

Prope hoc aedificium est locus apertus. Māne per viās huius locī virī currunt. Interdum carrī trāns locum veniunt et ante aedificium stant. Tum aliquis omnēs rēs manibus ex carrō in aedificium portat.

Nunc arcūs nōn portāmus, alia tēla nōn portāmus, ubi in viīs ambulāmus, quod in viīs est nūllum perīculum et tūtī sumus.

Nunc nōn subitō arma capimus et fortiter pugnāmus. Nunc nōn semper pugnāmus, sed saepe ad casās amīcōrum invītāmur.

DICTATION AND IMITATION—LESSON XVI

Aestāte ad silvam eō.

In winter I go to the town.
At night I go to the cottage.
In summer at night I go to my tent.

Cum patre ad oppidum puer it.

The boy goes to the town with his mother.
He goes to town with his brother.
He goes to town with his sister.

Puerī ad oppidum cum patribus eunt.

The girls are going to town with their mothers.
The girls are going to town with their brothers.

Cum mātre ad oppidum īmus.

We are going to the woods with our father.
We are going to the water with our sisters.

Ad aquam īs, sed ad oppidum ītis.

You (a boy) are going to the town.
You (a group of girls) are going to the woods.
You (a group of soldiers) are going to war.
You (a group of sailors) are going to other lands.

DICTATION—LESSON XVII

Sī sociī nostrī satis magnās cōpiās nōn habent et auxilium rogant, necesse est mīlitēs nostrōs īre. Sociīs auxilium dare dēbēmus. Fīnitimī mīlitēs nostrōs monent quod perīculum est magnum, sed mīlitēs nostrī sunt parātī morīrī sī necesse est. Crās mīlitēs nostrī iterum domum nōn venient; posterō diē domum nōn venient. Multī numquam iterum venient, quod perīculum est magnum.

DICTATION AND IMITATION—LESSON XVII

Puerum vocō, sed mātrem tuam vocās.

I see a girl, but you see your father.
I have a picture, but you have a rose.
I hear a horse, but you hear a man.
You are carrying water, but I am carrying a flower.

Puellās vidēmus, sed puerōs vidētis.

We are staying in the town.
You live in the town.
You have prizes.
We want some money.

Puer equum timet. Puellae pictūrās habent.

The horse wants grain.
The man sees the boys.
The boys are telling stories.
They are showing their presents.
They are caring for the garden.

DICTATION—LESSON XVIII

Multī mīlitēs quī prō patriā pugnant ab hostibus vulnerantur et ne-cantur. Posteā multī sunt caecī. Illōs mīlitēs miserōs putāmus.

Ecce! Quam timidus est ille vir! Ille vir est paene caecus. Oculōs habet sed nōn videt.

Ubi amīcōs vīsitāmus, amīcī nōs accipiunt. Mīlitem quī sine armīs ā castrīs et amīcīs currit, neque hostis neque socius accipere dēbet.

DICTATION AND IMITATION—LESSON XVIII

Gladius ducis est magnus.

The soldier's helmet is big.
The leader's shield is big.

The leader's plan is good.
The soldier's javelin is long.

"Domī pugnāre est bonum cōnsilium," inquit mīles.

The leader says, "To fear a friend is bad."
The soldier says, "To fear danger is not good."

Castra ā mīlitibus dēfessīs parantur.

The war is being fought by the Roman soldiers.
Plans are being made by the leaders.
Arms are being carried by the soldiers.

Cum in castrīs ducēs videō, nōn timeō.

When I stand in the camp, I see the soldiers.
When I hear the soldiers, I am not afraid.
When I have a spear, I fight well.

DICTATION—LESSON XIX

Flūmen Rhēnus inter Gallōs Germānōsque fluit. Germānī erant īrātī et circum mūrōs Gallōrum clāmābant. Agrōs vāstāre et oppida occupāre cupiēbant. Gallī oppida occupārī nōn dēsīderābant. Propter hoc Gallī mīlitēs ācriter pugnāre iubēbant. Ubi hostēs nōn longē aberant, tēla iaciēbant. Sī ducem Germānōrum vidēbant, oppida occupāta postulābant.

DICTATION AND IMITATION—LESSON XIX

Ego et puella ā dextrā stāmus.

My brother and I are going to the town.
My father and I are walking in the road.

Tu et puer ā sinistrā stātis.

You and your mother are staying here.
You and I are afraid at night.

Ūnus puer domī manet; trēs puerī in bellō pugnant.

One girl is afraid of the horse, but two girls like the horse.
Two soldiers are not working, but three are preparing the camp.
Four leaders are making a plan.

Animal est magnum. Vidēsne animal?

I see a large animal.
The animal has a small head.
The girl has a pretty name.
The boy's name is Marcus.

Multa animālia capita magna habent.

Many animals are small.
Their heads are small too.
The names of the girls are Julia and Cornelia.

DICTATION—LESSON XX

Is dux, bene armātus, est avunculus meus. Undique circumspectat, ācriter oppugnat, hostēs superat. Nūllōs inimīcōs habet. Multōs amīcos habēre vidētur. Mīlitēs semper salūtat et ā mīlitibus salūtātur. Itaque eius mīlitēs eum probant.

Quamquam is populus ōlim erat fortis et sociī eōrum eōs iuvābant, nunc tamen oppida in ruīnīs iacent. Cūr? Nōn audēbant oppida hostium occupāre et agrōs vāstāre. Meus avunculus hunc populum nōn probat.

DICTATION AND IMITATION—LESSON XX

Perīculum ā puerō timētur; ab omnibus perīcula timentur.

The horse is seen by the girl.
The camp is being prepared by the soldiers.
The spears are being carried by the leaders.
The battle is being fought by our enemies and allies.

Ā puerō amor, sed ā sorōre amāris.

I am being cared for by the doctor, but you are being cared for by your mother.

You are being called by your father, but I am being called by his brother.

Ā poētīs amāmur, sed ab agricolīs amāminī.

We are being called by the teacher, but you are being carried in a boat by the sailor.

You are being praised by the farmers, but we are being praised by our friends.

DICTATION—LESSON XXI

Hic mīles quī nunc in vincula iacitur ōlim rūrī habitābat. Ibi prope flūmen parvum dormiēbat. Ibi laetus erat. Nunc maestus est, nam castra hostium expugnāre et dēlēre cupiēbat. Necesse erat hoc facere sī patriam suam servāre cupiēbat. Hostēs sunt barbarī quī celeriter sē movent et omnia sciunt. Nunc hunc mīlitem in vinculīs habent et mox mīles moriētur.

DICTATION AND IMITATION—LESSON XXI

Hic mīles est fortis. Amāsne hunc mīlitem?

This boy is good.
This leader is handsome.
I see this barbarian.
I praise this ally.
You are looking at this sword.

Hī ducēs hōs mīlitēs monent.

These soldiers like these leaders.
These boys see these men.
These farmers praise these sailors.

Dux mīlitī praemium dat.

The soldier gives the leader a present.
The farmer gives his father money.
The sailor is giving his mother a picture.
The sailor is showing his sister his pictures.

Mīles huic puerō gladium dat.

The boy shows this sailor his tent.
The girl is showing this man the flowers.
This man is giving this soldier a spear.
The soldier is giving this officer money.

DICTATION—LESSON XXII

Per tōtam noctem servus meus per silvam errābat. Cēterī servī quoque per silvam errābant. Bēstiās ferās incitābant. Hoc facere nōn facile erat, nam bēstiae celeriter currunt. Crās multās bēstiās necābimus. Mox tempus erit nōs in silvam īre.

DICTATION AND IMITATION—LESSON XXII

Gladius huius mīlitis est longus; pīlum illīus mīlitis est longum.

The shield of this enemy is big.
That sailor's daughter is pretty.
This boy's mother is kind.
That girl's father is a farmer.

Tēla hōrum hostium capiuntur. Tēla illōrum mīlitum sunt in castrīs.

Many of these soldiers are being killed.
Many of those men are brave.
The arms of those leaders are beautiful.
The cottages of these farmers are small.

Dux mīlitibus hostēs mōnstrat.

The soldier is showing the camp to the leaders.
The soldiers are not giving aid to their enemies.
The enemies are not giving weapons to the soldiers.

Mīles hīs ducibus cōnsilium mōnstrat.

The leader is showing the river to these soldiers.
This soldier is giving his sword to those soldiers.
This boy is showing his gift to those men.

DICTATION—LESSON XXIII

Paucī dominī erant saevī et perfidī. Labor servōrum tamen erat dūrus. In agrīs labōrāre, lignum et aquam portāre necesse erat. Dominus imperābat; servī pārēbant. Sī servus sē in fugam dedit, cēterī servī statim in silvās mittēbantur. Servus igitur statim reperiēbātur. Vīta servōrum nōn erat facilis. Hoc, puerī puellaeque, in animīs vestrīs tenēte. Hoc memoriā tenēte.

DICTATION AND IMITATION—LESSON XXIII

Tēctum ab hāc puellā et hōc servō cūrātur.
Equī ab illā puellā et illō mīlite cūrantur.

A plan is being made by this leader.
Aid is being given by that man.
The pictures are being showed by this sailor.

The weapon is being thrown by this soldier.
The sword is lying on that table.
That summer the battle was fought.

Ab hīs hostibus cōpiae nostrae laudantur.

The town is being destroyed by these soldiers.
The spears are being thrown by those men.
The flowers are being carried by these girls.
These soldiers are being praised by these allies.

Hoc cōnsilium est bonum. Illud animal currit.

Do you like this plan?
Do you see that animal?
I see that town.
I see that danger.
This war is long.
That grain is not good.

Haec tēla sunt bona. Illa animālia nōn currunt.

Those shields are not new.
These spears are lying near the river.
These buildings are large.
Those towns are in our country.
Those names are long.

DICTATION—LESSON XXIV

Homō līber rēgem nōn dēsīderat. Sī rēx urbem līberam oppugnat, dux sine morā mīlitēs convocat. Clāmōribus hōrum mīlitum omnēs incitantur. Tēla mox coniciuntur. Etiam rēx tergum vertit et mox omnēs mīlitēs rēgis in fugam sē dant. Ita īrātī ānserēs sē in fugam dant sī tēla in ānserēs coniciuntur.

DICTATION AND IMITATION—LESSON XXIV

Auxilium postulābās, sed ego mīlitēs oppugnāre iubēbam.

I was shouting, but you were wounding enemies.
I was attacking the town, but you were laying waste the fields.

Dux imperābat; mīlitēs pārēbant.

The officers were ordering the soldiers to attack, but the soldiers were looking around.

The enemies were destroying the towns.

The leader was warning a soldier.

Superābāmus, sed nōn pugnāre audēbātis.

We were seizing the camp, but you were demanding help.

You were warning the soldiers and we were calling allies.

DICTATION—LESSON XXV

Aestāte saepe in flūmine natābam. Interdum in nāviculā prope rīpam sedēbam. In flūmine erat nūlla nāvis quod flūmen erat tam angustum. Frāter meus tēcta in rīpā aedificābat. Haec relinquere nōn poterat sī haec dēlērī nōn cupiēbat. Aliī puerī quī in rīpā ambulābant aut corpora in rīpam iaciēbant haec dēlēbant, sī frāter aberat et tēcta nōn servābat.

DICTATION AND IMITATION—LESSON XXV

Tēctum meum ā barbarīs dēlēbātur. Omnia tēcta dēlēbantur.

The soldiers were being wounded by their enemies.

The leader was being killed.

The town was being saved by the soldiers.

Weapons were being hurled by the allies.

Nōs superābāmur sed vōs servābāminī.

We were being warned, but you were being killed.

You used to be approved of, but we used to be feared.

Ego servābar; tū vulnerābāris.

You were being held.

You were being called.

I was being feared.

I was being overcome.

DICTATION—LESSON XXVI

Māne in summō colle sedēbam. Undique circumspectābam. Locus erat nātūrā pulcher. Agrōs pulchrōs et tēcta vidēbam. In collibus erant arborēs. In arboribus erant avēs. Nūlla nūbēs in caelō clārō vidērī poterat. Prīmō avēs silēbant, sed iam excitābantur ubi lūx erat clārior. Iam cibum per arborēs reperiēbant. Ego silēbam et interdum prope mē appropinquābant. Omnēs hās rēs amābam.

DICTATION AND IMITATION—LESSON XXVI

Vir ad suum tēctum currēbat. Eius tēctum in ruīnīs iacēbat.

The soldier was carrying his own sword.
His sword was new.
The slave was saving his own master.
His master was dear to the slave.
The boy was wounding his own sister.
His sister is not angry.

Puerī suās mātrēs amant. Mātrēs eōrum puerōs **amant.**

The soldiers were destroying their own camp.
Their camp was near the enemy.
The soldiers were praising their leader.
Their leader approved of his soldiers.

Hic puer est amīcus meus. Eum amō.
Hae puellae sunt sorōrēs meae. Eās quoque amō.

This woman is my mother. I love her.
These men are my leaders. I approve of them.
This soldier is a brave man. I praise him.
These girls are the farmer's daughters. The farmer loves **them.**

DICTATION—LESSON XXVII

Magnā cum laetitiā pictūram pulchram spectāvī. Cōpiae ad proelium ībant. Splendida erant arma. Signa nōn cēlābantur. Ubīque erant figūrae virōrum nōtōrum et animālium validōrum. Ego quoque sīc arma rapere et ad proelium properāre cupiēbam. Tam magnam laetitiam sentiēbam ubi pictūram spectāvī.

DICTATION AND IMITATION—LESSON XXVII

Castra tenēbimus sī hostēs oppugnābunt.

If the officers command, we shall obey.
If the men wander in the woods, beasts will kill them.

If the barbarians capture the town, they will destroy it.
We shall fight bravely.
We shall shout if it is necessary.

Amīcum servābō sī tū nōn clāmābis.

Will you order the soldiers to attack?
I shall demand aid.
You will not dare to fight alone but I shall help you.
I shall advise you and you will conquer.

Sī vōs oppugnābitis, dux hostium nōn pugnāre audēbit.

If you move the camp, the barbarian will tell this to his leader.
If you demand help, the leader of the allies will give help.

DICTATION—LESSON XXVIII

Ōlim cīvēs patriae nostrae nāvigium ad portum gentis alīus mittere cōnstituērunt. Nāvigium īnsignibus ōrnātum erat. Cīvēs huius gentis nōn erant ignāvī sed perterritī erant. Ante hoc tempus nāvigium hūc nōn vēnerat. Deinde virī ex nāvigiō ad cīvēs īvērunt et sē amīcōs esse dīxērunt. Tandem cīvēs eōs amīcōs accēpērunt et nunc duae gentēs sunt amīcī.

DICTATION AND IMITATION—LESSON XXVIII

Sī vōs nōn vulnerābiminī, omnēs servābimur.

If we are called together, you also will be called.
If you are conquered, we also will be destroyed.
If you are ordered to go, we also shall be ordered to go.

Sī dux necābitur, ego iubēbor auxilium dare.

If the town is held, I shall be saved with the rest.
If I am wounded, my brother will be ordered to carry me to the camp.
If I am overcome, the city will be destroyed.

Illī oppugnābuntur, sed tū servāberis.

If you are overcome, they too will be destroyed.
You will be ordered to give money, but the lives of your friends will be saved.
If you are warned, the cities will not be captured.

DICTATION—LESSON XXIX

"Hīc castra cōnstituēmus. Valida erunt moenia castrōrum. In moenibus vigilēs stābunt quī prōspectābunt. Circum moenia vāllum quoque faciēmus. Pars mīlitum portās servābit. Sī exercitus hostium in longō agmine iter faciet et impetum in castra nostra facere cupiet, per nūntiōs ducēs nostrī hoc nōscent. Ducēs nostrī exercitum nostrum incitābunt. Mīlitēs nostrī ācriter pugnābunt et superābunt. Hic erit fīnis impetūs." Sīc dīxit imperātor noster.

DICTATION AND IMITATION—LESSON XXIX

Quō tempore domum relinquēs? Mox relinquam.

Will I know this soon?
Will I find quiet there? .
Shall you send those soldiers?

Hic vir pīlum iaciet, sed illī saxa conicient.

These soldiers will run swiftly and will capture the city.
The leader will hear this and will praise them.
He will want to see them at once.

Nōs ad urbem auxilium mittēmus, sed vōs urbem relinquētis.

We shall hear this, and shall feel angry.
You will hear this and feel sad.

DICTATION—LESSON XXX

Haec urbs Rōma appellātur. Mōns est idōneus locus urbī. Rōma in septem montibus aedificāta est. Sī hostēs quī in ulteriōre rīpā flūminis habitant Rōmam oppugnābunt et capient, magna erit praeda. Deus ipse tamen virōs iuvat sī virtūtem magnam habent. Rōma igitur nōn capiētur, nam populus Rōmānus magnam virtūtem habet.

DICTATION AND IMITATION—LESSON XXX

Sī Rōma capiētur, multae rēs pulchrae ā mīlitibus capientur.

If a messenger is sent to the allies, soldiers will be sent by the allies.
If other things are found, money also will be found.
This will be heard and other houses will be seized.

Vōs capiēminī sī nōs audiēmur.

We, however, will not be captured because we will be known.
You will not be known. Therefore you will be thrown into chains.

Ego fortis esse dīcar quod tū reperiēris.

I shall be sent to the camp of the enemy, but you will be sent to the allies.
You will be captured, but I shall not be captured.

DICTATION—LESSON XXXI

Exercitus Rōmānus in multās legiōnēs dīvidēbātur. In legiōne erant circiter quattuor mīlia mīlitum. Imperātor tōtum exercitum dūcēbat. Īdem imperātor omnēs legiōnēs dūcēbat. Sub imperātōre erant multī ducēs. Imperātor imperābat; reliquī ducēs pārēbant. Bonus imperātor exercitum in inīquum locum nōn dūcēbat. Bonus imperātor mīlitēs castra in nive pōnere numquam iubēbat. Bonus imperātor semper vincēbat quod mīlitēs eum bonum esse sciēbant et fortiter pugnābant. Nēmō erat ignāvus sī ille dūcēbat.

REVIEW—LESSON XXXI

A man was sitting on the top of a hill. The birds were still silent for the sky was still dark. The man was thinking to himself: "I shall soon hear the birds for the sky is now brighter. I shall move near the trees and I shall see them too. I shall be silent. The birds do not fear a man if he is silent and does not move. I shall not hurl a weapon and shall not hurt the birds in any way." Soon the birds were seen in the trees and the man was able to hear them too. He was feeling great happiness. Now he is leaving the top of the hill.

DICTATION—LESSON XXXII

Lēgātus erat dux legiōnis. Legiō ipsa in partēs dīvidēbātur. Pars legiōnis quae circiter centum mīlitēs habēbat ā centuriōne dūcēbātur. Centuriōnēs semper fortissimī erant. Ōlim quīdam centuriō ex castrīs sōlus sine comitibus prōcessit et cum mīlite hostium pugnāvit. Hic mīles hostium graviter vulnerātus est, sed nōn interfectus est. Centuriō ubi in castra sua vēnit, ā comitibus suīs corōnam excēpit, quod multam virtūtem ostenderat et hostem cīvitātis suae vīcerat.

DICTATION AND IMITATION

REVIEW—LESSON XXXII

The citizens of this city will soon decide to save the city. The city is now being terrified by bad citizens, and it fears them greatly. Now good citizens are being aroused and soon they will send the bad citizens away from the city. For a long time they did not dare to do this, but now they are listening to good leaders and they will attack their enemies. Then they will not be terrified, but they will be free and happy.

DICTATION—LESSON XXXIII

Latrō interdum hastam fert et bellum gerit. Neque tamen cīvitātem dēfendit neque hostēs expellit, ipse enim hostis est. Difficile est cīvitātem latrōnem expellere. Latrō ipse discēdere numquam vult. Cīvēs gravēs perterrēre vult. Maximē pecūniam et reliquās rēs bonās rapere vult. Latrō nōn est cīvis bonus.

DICTATION AND IMITATION—LESSON XXXIII

Exercitus noster impetum magnum facit. Exercitūs nostrī semper impetūs magnōs faciunt.

The general is ordering the army to make two attacks.
The first attack is frightening the other army.
The two attacks are conquering the army of the enemy.

Impetus exercitūs erat ācer. Impetūs exercituum semper sunt ācrēs.

Part of the army did not dare to make an attack.
Many of the attacks were not severe.
The courage of the armies was not great.

Imperātōrēs cum exercitibus ībant et magnō cum impetū castra hostium oppugnābant.

Now a general does not go with his army.
The general does not attack a city with his own hands.
The armies alone attack cities with great onrushes.

Imperātor exercituī cōnsilium nārrat. Imperātōrēs nōn semper exercitibus cōnsilia nārrant.

This place is suitable for a harbor.
Many places are not suitable for harbors.

DICTATION—LESSON XXXIV

Per tōtam terram est pāx. Sonitus armōrum nōn audītur. Ut necesse est mīlitēs semper parātōs esse, castra bene mūnīta sunt. Mox in grāmine prope mare mīlitēs iacēbunt atque sē in somnum dabunt. Ibi umbra arborum erit grāta. Pedēs hostium nōn audīrī possunt, tantum grāmen ibi reperītur. Nunc tamen nūllus pēs hostium audiētur, ubīque enim est pāx.

DICTATION AND IMITATION—LESSON XXXIV

Haec rēs mihi grāta est. Etiam nunc diēs sunt pulchrī.

These things are dear to me.
This day is beautiful.

Hās rēs amō. Quem diem cōnstituis?

Those days we stayed in the city.
I shall take the thing.

Aliquid bonī in hāc rē reperītur. Illīs diēbus rēgēs imperābant.

On that day we went to the city.
By these things the enemy was overcome.

Pars hārum rērum est pulchra. Pars huius diēī erat clāra.

Many of these days are pleasing to me.
The signal for this thing was given.

DICTATION—LESSON XXXV

Nēmō nisi cōnsul imperium habēbat. Prīmus magistrātus cīvitātis erat. Officium numquam neglegēbat. Semper bene cīvitātem regēbat et hostēs pūblicōs premēbat. Quaestor pecūniam gerēbat. Hī erant magistrātūs bonī. Neque populum premēbant neque umquam magistrātūs sibi petēbant. Hostēs sōlōs premēbant. Fēlīx est cīvitās quae bonōs magistrātūs habet.

REVIEW—LESSON XXXV

Generals used to lead the armies of the state. Lieutenants led the legions. They conquered the troops of their enemies. Sometimes they attacked barbarians. They demanded the help of their allies if the enemy was very strong. The allies always sent soldiers if they were asked for. When they captured the enemies' things, the soldiers received their reward. In ancient times they fought in this way.

DICTATION—LESSON XXXVI

Duo explōrātōrēs intrā castellum sedēbant. Alter septem annōs explōrātor fuerat; alter nōn diū sīc labōrāverat. Uterque autem fortis erat. Hī explōrātōrēs dēfessī erant quod per tōtam noctem sub pontibus et in agrīs latuerant. Numerum hostium et cōnsilia cognōverant. Tandem ad castellum vēnerant. Nunc dux cōpiās ad hostēs summā cum salūte dūcēbat. Mox impetum facient et hostēs repellent vincentque.

DICTATION AND IMITATION—LESSON XXXVI

Dux latrōnum praedam nōn dēlēvit quod latrōnēs eam cēlāvērunt.

The scout approached when the soldiers called him.
The scout knew the place.
The officer did not seize the town although the soldiers attacked bravely.

Puerī mīlitēs timuērunt. Quīdam puer domum cucurrit.

The barbarians moved their camp.
This their leader advised.
They pitched their tents in a suitable place.
The leader decided to wait for allies.
The allies did not abandon their friends.

Ex castrīs mīlitēs prōcessērunt. Nēmō sonitum fēcit.

The soldiers departed from the city.
They took their arms with them.
They waged war with the enemies.
No soldier said that he was afraid.
Each one hurled his spears.

DICTATION—LESSON XXXVII

Nunc hic vir est exsul, at ōlim erat nōtus dux quī victōriam spērābat. Quandō nōn sapiēns erat, mīlitēs ex castrīs īre sinēbat. Hoc scīvit, sed nihil fēcit. Ōlim quīdam ad hostēs trānsīvit. Quandō ad hostēs pervēnit, magnā vōce ducem ignāvum esse dīxit. Quanta erat laetitia hostium! Magnā vī impetum fēcērunt et vīcērunt. Hōc modō exsul factus est hic vir.

DICTATION AND IMITATION—LESSON XXXVII

Hastās nōn tulimus, sed hostēs reppulimus.
Vōs hostēs repellere voluistis, sed hostēs nōn repperistis.

We departed from the battle, but you waged war bravely.
You conquered your enemies, but we ran.
We roused the citizens, but you terrified the foes.

In fugam mē dedī, sed tū stetistī et pugnāvistī.

When I decided to fight, you left me.
I fortified the camp with the other soldiers.
You lay in the grass and did not hurl a weapon.
I could not run although I wanted to run.

DICTATION—LESSON XXXVIII

Barbarī undique convenīre coepērunt. Tergum vertere nōn ausus sum.
Parātī erant mē occīdere. Dux barbarōrum nōn aderat. Usque ad fīnēs
sociōrum īverat. "Quandō redībit?" Hoc mē rogāvī. Sērō ducem venien-
tem vīdī. Nōbilem eum putāvī. Ubi in cōnspectū huius ducis stetī, statim
benignē mē accēpit. Amīcus meus factus est. Deō grātiās ēgī quod nunc
tūtus eram.

DICTATION AND IMITATION—LESSON XXXVIII

Nūntiī ad hostēs missī sunt et pāx facta est.

The town was captured when the walls were attacked.
The soldiers were led to the bridge; there a scout was found.
The war was waged a long time.
At last the enemies were conquered.

Nōs perterritī sumus, sed vōs fortiter pugnāre ausī estis.

We were called together and ordered to attack.
We were wounded, but did not die.
You were sent to the allies. You were thought to be brave.

Fortis vīsus sum. Clāmōribus virōrum mōtus es.

I was warned by the general.
Were you wounded?
I was saved but you were thrown into chains.

DICTATION—LESSON XXXIX

In moenibus vigilēs dispositī sunt. Post prīmam vigiliam aliī vigilēs hīs
vigilibus succēdent. Quīdam mīlitēs secūrēs sūmpsērunt et ē castrīs prō-

cessērunt. Nunc pontem caedunt. Ubi pōns frāctus est, in castra redībunt et secūrēs ad loca restituent. Intereā paucī mīlitēs apud imperātōrem convēnērunt. Quod genus cōnsilī apud hōs mīlitēs capitur? Mox dē cōnsiliō cōnstituent et deinde hostēs ex hīs locīs pellēmus. Hoc memoriā tenēte. Nōlīte timēre.

DICTATION AND IMITATION—LESSON XXXIX

Dux nūntium ad hostēs mīserat sed hostēs nōn responderant.

The general had not neglected his duty and had overwhelmed the enemy.
The kings had not ruled well, therefore the Romans had driven them out.
The general had ordered the soldiers to march and they had gone to a neighboring camp.

Pācem fēcerāmus quod vōs castra nostra oppugnāverātis.

You had departed because you had feared the enemy.
We had conquered because we had fought bravely.

Auxilium petīveram quod tū hoc necesse esse cōnstituerās.

You had divided your forces, but you had not come to the gates.
I had seen the man, but I had not considered him dangerous.

DICTATION—LESSON XL

Uter maiōrem honōrem habēre dēbet, latrō quī iniūriās ferēbat, deinde fugiēbat, an eques quī hostēs circumveniēbat et prō rēge rēgnum servābat? Eques bonus numquam sē recēpit. Per ignēs et per gladiōs īvit sī hostēs pellere incēpit. Numquam ex hostibus exiit nisi vīcerat.

DICTATION AND IMITATION—LESSON XL

Victus eram, sed multī hostēs interfectī erant.

I had been hard pressed, but I had not been wounded.
My friends had been wounded and had been driven from their position.
The camp had been pitched on a hill.

Urbs nostra mūnīta erat, sed nōs numerō hostium superātī erāmus.

We had been seen because the march had been made in an open space. Our ship had been left because a larger ship had been attacked.

Vōs ex castrīs expulsī erātis, sed castra nōn capta erant.

You had been wounded, you had been hurled into chains, you had been left in a dark place, but you had not been conquered in spirit.

Petītus erās, sed nōn repertus erās.

You had been led to the king, but you had not been received.
You had been warned by your friends, but you had not been sent from the city.

SUGGESTED BOOKS FOR SUPPLE-
MENTARY READING

The books suggested for supplementary reading in English are divided into three groups. The first group deals with the life of the Romans, the second with the myths of the Romans, and the third is a group of novels dealing with Roman times.

GROUP I.   ROMAN PRIVATE LIFE

JOHNSTON. *The Private Life of the Romans.*
PRESTON AND DODGE. *The Private Life of the Romans.*
JOHNSTON. *Latin Manuscripts.*
FOWLER. *Social Life at Rome.*
WILSON. *The Roman Toga.*
DAVIS. *A Day in Old Rome.*

GROUP II.   CLASSICAL MYTHS

SABIN. *Classical Myths That Live Today.*
GAYLEY. *Classic Myths.*
GUERBER. *Myths of Greece and Rome.*

GROUP III.   NOVELS

WHITEHEAD. *The Standard Bearer.*
WELLS. *With Caesar's Legions.*
MITCHISON. *The Conquered.*
LAMPREY. *Long Ago in Gaul.*
DAVIS. *A Friend of Caesar.*
ANDERSON. *With the Eagles.*
WHITE. *Andivius Hedulio.*

LESSON VOCABULARIES

(Roman numerals denote classes of words as explained
in Authors' Foreword)

LESSON I

et
hic
sum

quālis *what sort*
quoque
valeō

II magnus
nōn

VI fēmina

III altus

VII discipula
discipulus
magister
magistra
puella
salvē

IV bonus
parvus

V puer
pulcher

LESSON II

I (hīc)

III meus
nunc
sed
tuus

IV ita
-ne

V frāter
māter
soror

VI amō
fīlia
fīlius

LESSON III

III longus
terra

IV fortūna
novus
patria
via

V   antīquus
    fāma
    īnsula

VII Amerıca
    Austrālia

Britannia
Cuba
Hibernia
Italia
Sicilia

LESSON IV

I   in

III causa
    habeō
    quis
    quod
    ubi

IV ager
    intellegō
    laetus
    parō

VI cupiō
    cūr
    labōrō
    portō

VII agricola
    casa
    cēna
    epistula
    schola

LESSON V

III (bene)
    multus
    videō
    vir

IV vīta

V   amīcus
    saepe
    semper

VI aqua
    habitō
    interdum

laudō
nauta
pecūnia
perīculōsus
poēta
scrībō

VII Americānus
    Britannus
    Hibernus
    Hispānus
    incola
    Italus

LESSON VI

II ego

III agō
dē
dō
ē, ex
pater
tū

V dōnum
grātia
ostendō

VI legō
mōnstrō
nārrō
spectō

VII fābula
pictūra

LESSON VII

III cum
IV silva
V aperiō
clārus
ibi
VI cārus
claudō

cūrō
grātus
iānua

VII ambulō
benignus
fenestra
rosa

LESSON VIII

II ad
III noster
V exspectō

VI discō
lingua
properō

VII Latīnus

LESSON IX

III nox
(noctū)

IV sōlus
V miser

VI aeger
    lūna
    obscūrus

    stella
    tardus
VII medicus

LESSON X

III cum
IV stō
VI hodiē
    vesper

VII herī
    impiger
    medicīna

LESSON XI

III dīcō
IV oppidum
    tegō
    (tēctum)
V diū
    maneō

    praemium
    respondeō
VI aestās
    validus
VII saltō
    tabernāculum

LESSON XII

II suī
III ūnus
IV domus
    eō
    post
    vocō

V malus
VI hōra
    lacrimō
    maestus
    mox

LESSON XIII

I quī
III alius
    nūllus
    tum

IV audiō
    capiō
    duo
    equus
    perīculum

V   frūmentum
     hiems
     timeō

                            flōs
                            quiēs
                            quot

VI   albus
     colloquium
     edō

                     VII   hortus
                            līlium
                            stabulum

LESSON XIV

II   ā, ab

III   arma
     bellum
     castra
     cōnsilium
     mīles

IV   (tegō)
     tēlum

                     V   dux
                            inquam
                            lātus
                            pugnō

                   VI   dēfessus
                            galea
                            gladius
                            pīlum
                            scūtum

                 VII   Rōmānus

LESSON XV

III   faciō
     prīmus

IV   medius
     nōmen

V   caput
     dexter
     numquam
     tertius
     trēs

                   VI   iaculum
                            mēnsa
                            niger
                            quattuor
                            sagitta
                            secundus
                            sinister

                 VII   animal
                            sagittārius

LESSON XVI

II   omnis
     rēs

                   III   ante
                            locus

manus
per
veniō

IV aliquis
   fortis
   (fortiter)
   prope

V tueor
  (tūtus)

VI aedificium
   arcus
   carrus
   currō
   invītō
   subitō
   trāns

VII māne

LESSON XVII

III cōpia
    diēs
    sī
    socius

IV auxilium
   (fortis)
   (parātus)

V dēbeō
  fīnitimus

iterum
morior
posterus
satis

VI moneō
   necesse
   rogō

VII crās

LESSON XVIII

III hostis
    ille
    neque
    prō
    quam

IV accipiō
   oculus
   putō
   sine

V adsum

VI caecus
   ecce
   necō
   paene
   posteā
   timidus
   vulnerō

VII vīsitō

LESSON XIX

I   -que

III inter
     iubeō

IV circum
    flūmen
    propter

V   absum
    ācer
    (ācriter)
    occupō
    postulō

VI clāmō
    dēsīderō
    fluō
    iaciō
    īrātus
    mūrus
    vāstō

VII Eurōpa
     Gallia
     Gallus
     Rhēnus

LESSON XX

I   is

III populus
     tamen

IV superō
    (videor)

V   armō
    (armātus)
    audeō
    itaque
    undique

VI iuvō
    ōlim
    oppugnō
    probō
    quamquam
    ruīna

VII avunculus
     circumspectō
     inimīcus
     salūtō

LESSON XXI

III suus

IV celer
    (celeriter)
    nam

V   barbarus
    moveō
    sciō
    servō

VI   dēleō
     expugnō

rūs
vinculum

VII   dormiō

LESSON XXII

III   (nox)
     tempus
     tōtus

IV   cēterī
     facilis

V   errō

VI   incitō
     servus

VII   bēstia
     ferus

LESSON XXIII

III   animus
     mittō
     teneō
     vester

IV   fuga
     labor

V   dūrus
     imperō

memoria
paucī
reperiō

VI   dominus
     igitur
     pāreō
     saevus
     statim

VII   lignum

LESSON XXIV

III   etiam
     homō
     urbs

IV   rēx

V   clāmor
     coniciō

heu
līber
tergum

VI   mora
     convocō

VII   ānser

LESSON XXV

III aut
    nāvis
    possum
    relinquō
    tam

IV corpus

V saxum

VI aedificō
    angustus
    rīpa
    sedeō

VII natō
    nāvicula

LESSON XXVI

III iam
    superus
    (summus)

IV caelum

V lūx
    nātūra

VI appropinquō
    arbor
    avis
    cibus
    collis
    excitō
    nūbēs
    sileō

LESSON XXVII

III sīc

IV proelium
    signum

V nōscō
    (nōtus)
    sentiō

VI cēlō
    laetitia
    rapiō
    ubīque

VII figūra
    splendidus

LESSON XXVIII

I (hūc)

IV cīvis
    cōnstituō

gēns
portus

V deinde
    tandem

VI īnsigne
    ōrnō
    perterreō

VII Gallicus
     ignāvus
     nāvigium

LESSON XXIX

III exercitus
     fīnis
     pars

IV agmen
    iter
    moenia

V impetus
   nūntius
   porta
   vāllum

VI1 prōspectō
     vigil

LESSON XXX

III deus
     ipse
     virtūs

IV mōns

V appellō

VI idōneus
    praeda
    ulterior

VII Etrūscus
     Rōma

LESSON XXXI

III īdem
     legiō
     reliquus

IV dūcō
    imperātor
    mīlle
    pōnō
    sub

V circiter
   nēmō
   vincō

VI dīvidō
    nix

VII inīquus

LESSON XXXII

III cīvitās
     lēgō
     (lēgātus)

IV gravis
    (graviter)
    interficiō

V   centum
      comes
      quīdam

VI   centuriō
      corōna
      excipiō
      liber
      prōcēdō

LESSON XXXIII

III   ferō
      gerō
      volō
      (maximē)

IV   enim
      (gravis)

V   dēfendō
      discēdō

VI   difficilis
      expellō
      hasta
      latrō

LESSON XXXIV

II   atque
      ut

III   tantus

IV   mare

V   mūniō
      pāx

      pēs
      somnus
      umbra

VI   iaceō
      sonitus

VII   grāmen

LESSON XXXV

III   imperium
      petō
      pūblicus

IV   cōnsul
      nisi

V   premō

VI   fēlīx
      magistrātus
      neglegō
      officium
      quaestor
      regō
      umquam

LESSON XXXVI

IV alter
    annus
    autem
    cognōscō
    numerus
    salūs

V   uterque

VI castellum
    explōrātor
    intrā
    lateō
    pōns
    repellō
    septem

LESSON XXXVII

III modus

IV at
    nihil
    quantus
    trānseō
    vīs
    vōx

V   perveniō
    spērō
    victōria

VI exsul
    quandō
    sapiēns
    sinō

LESSON XXXVIII

IV coepī
    conveniō

V   vertō

VI cōnspectus
    nōbilis
    occīdō
    redeō
    sērus
    usque

LESSON XXXIX

IV apud
    genus

V   intereā
    pellō

VI caedō
    dispōnō

frangō
nōlō
restituō
secūris
succēdō
sūmō
vigilia

LESSON XL

IV eques
    honor
    ignis
    recipiō
    rēgnum

V   an
    incipiō
    iniūria

VI circumveniō
    exeō
    fugiō
    uter

LATIN-ENGLISH VOCABULARY

(For adjectives and some pronouns the forms of the three genders are indicated, for nouns and personal pronouns the forms of the nominative and genitive cases, for verbs the principal parts. For other words the part of speech is named.)

A

ā *prep.* away from, by, variant of **ab**

ab *prep.* away from, by

absum, abesse, āfuī, āfutūrus be away

accipiō, accipere, accēpī, acceptum receive

ācer, ācris, ācre keen, sharp

ācriter *adv.* keenly, sharply

ad *prep.* to, toward

adsum, adesse, adfuī, adfutūrus be present

aedificium, aedificī *n.* building

aedificō, -āre, -āvī, -ātum build

aeger, aegra, aegrum sick

aestās, aestātis *f.* summer

ager, agrī *m.* field

agmen, agminis *n.* line of march

agō, agere, ēgī, āctum drive; do; say; spend (time)

agricola, -ae *m.* farmer

albus, -a, -um white

aliquis, aliquid *pro.* someone, something

alius, alia, aliud another, other

alter, altera, alterum the other (of two); alter . . . . alter the one . . . . the other

altus, -a, -um high, deep

ambulō, -āre, -āvī, -ātum walk

America, -ae *f.* America

Americānus, -ī *m.* an American

amīcus, -ī *m.* friend

amō, amāre, amāvī, amātum love

an *conj.* or?

angustus, -a, -um narrow

animal, animālis *n.* animal

animus, -ī *m.* mind

annus, -ī *m.* year

ānser, ānseris *m.* goose

ante *prep.* before, in front of

antīquus, antīqua, antīquum ancient

aperiō, aperīre, aperuī, apertum open

appellō, -āre, -āvī, -ātum call

appropinquō, -āre, -āvī, -ātum approach

apud *prep.* among; at the house of

aqua, -ae *f.* water

arbor, arboris *f.* tree

arcus, -ūs *m.* bow

arma, armōrum *n. pl.* arms

armātus, -a, -um armed

at *conj.* but

atque *conj.* and

audeō, audēre, ausus sum dare

audiō, -īre, -īvī, -ītum hear

Austrālia, -ae *f.* Australia

aut *conj.* or; aut . . . . aut either . . . or

autem *conj.* moreover

auxilium, -ī *n.* aid, help

avis, avis *f.* bird

avunculus, -ī *m.* uncle (maternal)

B

barbarus, -ī *m.* a barbarian

bellum, -ī *n.* war

bene *adv.* well

benignus, -a, -um kind

bēstia, -ae *f.* beast

bonus, -a, -um good

Britannia, -ae *f.* Great Britain

Britannicus, -a, -um British

Britannus, -ī *m.* an Englishman

C

caecus, -a, -um blind

caedō, -ere, cecīdī, caesum cut, kill

caelum, -ī *n.* sky

capiō, capere, cēpī, captum take

caput, capitis *n.* head

carrus, -ī *m.* wagon, cart

cārus, -a, -um dear

casa, -ae *f.* cottage

castellum, -ī *n.* fort

castra, castrōrum *n. pl.* camp

causa, -ae *f.* cause, reason

celer, celeris, celere swift

celeriter *adv.* swiftly, quickly

cēlō, -āre, -āvī, -ātum conceal

cēna, -ae *f.* dinner

centum a hundred

centuriō, centuriōnis *m.* centurion

cēterī, -ae, -a the rest of

cibus, -ī *m.* food

circiter *adv.* about

circum *prep.* around

circumspectō, -āre, -āvī, -ātum look around

circumveniō, -īre, -vēnī, -ventum come around, surround

cīvis, cīvis *m.* citizen, fellow-citizen

cīvitās, cīvitātis *f.* state

clāmō, -āre, -āvī, -ātum shout

clāmor, clāmōris *m.* shout

clārus, -a, -um clear, famous

claudō, -ere, clausī, clausum close

coepī, coepisse, coeptum began

cognōscō, -ere, cognōvī, cognitum become acquainted with, learn

collis, collis *m.* hill

colloquium, colloquī *n.* conversation

comes, comitis *m.* comrade, companion

coniciō, conicere, coniēcī, coniectum hurl

cōnsilium, cōnsilī *n.* plan, advice

cōnspectus, -ūs *m.* view, sight

cōnstituō, -ere, cōnstituī, cōnstitūtum decide, establish

cōnsul, cōnsulis *m.* consul

conveniō, -īre, convēnī, conventum come together, meet

convocō, -āre, -āvī, -ātum call together

cōpia, -ae *f.* supply; *pl.* troops

corōna, -ae *f.* wreath

corpus, corporis *n.* body

crās *adv.* tomorrow

Cuba, -ae *f.* Cuba

cum *conj.* when

cum *prep.* with

cupiō, cupere, cupīvī, cupītum desire

cūr *adv.* why?

cūrō, -āre, -āvī, -ātum take care of, care for.

currō, currere, cucurrī, cursum run

D

dē *prep.* down from, concerning

dēbeō, dēbēre, dēbuī, dēbitum owe, ought

dēfendō, -ere, dēfendī, dēfēnsum defend

dēfessus, -a, -um tired

deinde *adv.* then, next

dēleō, -ēre, -ēvī, -ētum destroy

dēsīderō, -āre, -āvī, -ātum long for, desire greatly

deus, -ī *m.* god

dexter, dextra, dextrum right

dīcō, dīcere, dīxī, dictum say

diēs, diēī *m.* day

difficilis, -e difficult

dīligenter *adv.* diligently

discēdō, -ere, discessī, discessum go away, depart

discipula, -ae *f.* pupil (girl)

discipulus, -ī *m.* pupil (boy)

disco, discere, didicī learn

dispōnō, -ere, disposuī, dispositum place at intervals

diū *adv.* for a long time

dīvidō, -ere, dīvīsī, dīvīsum divide

do, dare, dedī, datum give

dominus, -ī *m.* master

domus, -ūs *f.* home, house

dōnum, -ī *n.* gift

dormiō, -īre, -īvī, -ītum sleep

dūcō, -ere, dūxī, ductum lead

duo, duae, duo two

dūrus, -a, -um hard

dux, ducis *m.* leader

E

ē *prep.* out from, variant of ex

ecce *interj.* behold!

edō, ēsse, ēdī, ēsum eat

ego, meī I

enim *conj.* for

eō, īre, iī or īvī, itum go

epistula, -ae *f.* letter

eques, equitis *m.* horseman, knight

equus, equī *m.* horse

errō, -āre, -āvī, -ātum wander

et *conj.* and

etiam *adv.* even, also

Etrūscus, -ī *m.* an Etruscan

Eurōpa, -ae *f.* Europe

ex *prep.* out from

excipiō, -ere, excēpī, exceptum take out, take up, relieve, receive

excitō, -āre, -āvī, -ātum rouse

exemplum, -ī *n.* example, sample

exeō, -īre, -iī or -īvī, -itum go out

exercitus, -ūs *m.* army

expellō, -ere, expulī, expulsum drive out

explōrātor, explōrātōris *m.* scout

expugnō, -āre, -āvī, -ātum take by storm, capture

exspectō, -āre, -āvī, -ātum wait for, expect

exsul, exsulis *m.* exile

F

fābula, -ae *f.* story

facilis, facile easy

faciō, facere, fēcī, factum make, do

fāma, -ae *f.* fame

fēlīx, fēlīcis happy, lucky

fēmina, -ae *f.* woman

fenestra, -ae *f.* window

ferō, ferre, tulī, lātum bear

ferus, -a, -um wild

fīdus, -a, -um faithful

figūra, -ae *f.* form, shape

fīlia, -ae *f.* daughter

fīlius, fīlī *m.* son

fīnis, fīnis *m.* end; *pl.* territory

fīnitimus, -a, -um neighboring

fīnitimus, -ī *m.* a neighbor

fīō, fierī, factus sum be made, be done, happen, become

flōs, flōris *m.* flower

flūmen, flūminis *n.* river

fluō, fluere, flūxī flow

fortis, forte brave, strong

fortiter *adv.* bravely

fortūna, -ae *f.* fortune

frango, frangere, frēgī, frāctum break

frāter, frātris *m.* brother

frūmentum, -ī *n.* grain

fuga, -ae *f.* flight

fugiō, -ere, fūgī, fugitūrus flee

G

galea, -ae *f.* helmet

Gallia, -ae *f.* Gaul

Gallicus, -a, -um Gallic

Gallus, -ī *m.* a Gaul

gēns, gentis *f.* tribe

genus, generis *n.* birth, origin, kind

gerō, -ere, gessī, gestum carry, manage, wage (bellum)

gladius, gladī *m.* sword

grāmen, grāminis *n.* grass

grātia, -ae *f.* thanks, gratitude

grātus, -a, -um pleasing
gravis, grave heavy, earnest
graviter *adv.* heavily, severely

H

habeō, habēre, habuī, habitum have
habitō, -āre, -āvī, -ātum live
hasta, -ae *f.* spear
herī *adv.* yesterday
heu *interj.* alas!
Hibernia, -ae *f.* Ireland
Hibernus, -ī *m.* an Irishman
hīc *adv.* here
hic, haec, hoc this
hiems, hiemis *f.* winter
Hīspānia, -ae *f.* Spain
Hispānus, -ī *m.* a Spaniard
hodiē *adv.* today
homō, hominis *m.* man
honor, honōris *m.* honor
hōra, -ae *f.* hour
hortus, -ī *m.* garden
hostis, hostis *m.* enemy
hūc *adv.* to this place

I

iaceō, -ēre, iacuī lie
iaciō, iacere, iēcī, iactum throw
iaculum, -ī *n.* javelin
iam *adv.* now, already
iānua, -ae *f.* door
ibi *adv.* there
īdem, eadem, idem the same
idōneus, -a, -um suitable
igitur *conj.* therefore
ignāvus, -a, -um cowardly
ignis, ignis *m.* fire
ille, illa, illud that
illūc *adv.* to that place, thither
imperātor, imperātōris *m.* general, commander
imperium, imperī *n.* command, power, control
imperō, -āre, -āvī, -ātum command

impetus, -ūs *m.* attack, charge
impiger, impigra, impigrum active, industrious
in *prep.* in, into
incipiō, -ere, incēpī, inceptum begin
incitō, -āre, -āvī, -ātum rouse, stir up
incola, -ae *m.* an inhabitant
inimīcus, -a, -um unfriendly, hostile
inimīcus, -ī *m.* enemy
inīquus, -a, -um uneven, unfair
iniūria, -ae *f.* wrong
inquam *verb* say
īnsigne, īnsignis *n.* badge, decoration
īnsula, -ae *f.* island
intellegō, intellegere, intellēxī, intellēctum understand
inter *prep.* between, among
interdum *adv.* sometimes
intereā *adv.* meanwhile
interficiō, -ere, interfēcī, interfectum kill
intrā *prep.* within
intrō, -āre, -āvī, -ātum enter
invītō, -āre, -āvī, -ātum invite
ipse, ipsa, ipsum himself, herself, itself
īrātus, -a, -um angry
īs, ea, id this; that; he, she, it
ita *adv.* so
Italia, -ae *f.* Italy
Italus, -ī *m.* an Italian
itaque *conj.* therefore
iter, itineris *n.* journey, march
iterum *adv.* again
iubeō, iubēre, iussī, iussum order
iuvō, iuvāre, iūvī, iūtum help, aid

L

labor, labōris *m.* labor, toil
labōrō, labōrāre, labōrāvī, labōrātum work
lacrimō, -āre, -āvī, -ātum cry
laetitia, -ae *f.* happiness
laetus, -a, -um happy

lateō, -ēre, latuī lie hid
Latīnus, -a, -um Latin
latrō, latrōnis *m.* robber
lātus, -a, -um wide
laudō, -āre, -āvī, -ātum praise
lēgātus, -ī *m.* lieutenant, ambassador
legiō, legiōnis *f.* legion
legō, legere, lēgī, lēctum gather; catch
　(with eye or ear); read
līber, lībera, līberum free
liber, librī *m.* book
līberī, līberōrum *m. pl.* children
lignum, -ī *n.* wood
līlium, līlī *n.* lily
lingua, -ae *f.* tongue, language
locus, -ī *m.; pl.* loca, locōrum *n.* place
longē *adv.* far away
longus, -a, -um long
lūna, -ae *f.* moon
lūx, lūcis *f.* light

M

maestus, -a, -um sad
magister, -trī *m.* teacher (man)
magistra, -ae *f.* teacher (woman)
magistrātus, -ūs *m.* public office; pub-
　lic official
magnus, -a, -um great, large
malus, -a, -um bad
māne *adv.* early, in the morning
maneō, manēre, mānsī, mānsum stay,
　remain
manus, -ūs *f.* hand; band
mare, maris *n.* sea
māter, mātris *f.* mother
maximē *adv.* especially
medicīna, -ae *f.* remedy, medicine
medicus, -ī *m.* physician
medius, -a, -um middle, middle of
memoria, -ae *f.* memory
mēnsa, -ae *f.* table
meus, -a, -um my, mine
mīles, mīlitis *m.* soldier

mīlle *indeclin.* a thousand; *pl.* mīlia,
　mīlium
minimē *adv.* by no means
miser, misera, miserum miserable
mittō, mittere, mīsī, missum send
modus, -ī *m.* manner, kind
moenia, moenium *n. pl.* walls, fortifi-
　cations
moneō, monēre, monuī, monitum
　warn, advise
mōns, montis *m.* mountain
mōnstrō, -āre, -āvī, -ātum point out
mora, -ae *f.* delay
morior, morī or morīrī, mortuus sum
　die
moveō, movēre, mōvī, mōtum move
mox *adv.* soon
multus, -a, -um much; *pl.* many
mūniō, -īre, -īvī, -ītum fortify
mūrus, -ī *m.* wall

N

nam *conj.* for
nārrō, -āre, -āvī, -ātum relate, tell
natō, -āre, -āvī, -ātum swim
nātūra, -ae *f.* nature
nauta, -ae *m.* sailor
nāvicula, -ae *f.* boat
nāvigium, -ī *n.* boat
nāvis, nāvis *f.* ship
-ne enclitic sign of question
necesse necessary
necō, -āre, -āvī, -ātum kill
neglegō, -ere, neglēxī, neglēctum
　neglect
nēmō, nēminī (*dat.*), nēminem (*acc.*)
　m. no one
neque *conj.* and . . . . not, nor; neque
　. . . . neque neither . . . . nor
niger, nigra, nigrum black
nihil nothing
nisi *conj.* if not, unless
nix, nivis *f.* snow
nōbilis, -e well known, distinguished,
　noble

noctū at night
nōlō, nōlle, nōluī be unwilling
nōmen, nōminis *n.* name
nōn *adv.* not
nōsco, -ere, nōvī, nōtum know
noster, nostra, nostrum our, ours
nōtus, -a, -um known, famous
novus, -a, -um new
nox, noctis *f.* night
nūbēs, nūbis *f.* cloud
nūllus, -a, -um no, none
numerus, -ī *m.* number
numquam *adv.* never
nunc *adv.* now
nūntius, -ī *m.* messenger; message

O

obscūrus, -a, -um dark, obscure
occīdō, -ere, occīdī, occīsum cut down, kill
occupō, -āre, -āvī, -ātum seize
oculus, -ī *m.* eye
officium, -ī *n.* (work-doing), duty
ōlim *adv.* at that time; once upon a time
omnis, omne all, every
oppidum, -ī *n.* town
oppugnō, -āre, -āvī, -ātum attack
ōrnō, -āre, -āvī, -ātum adorn
ostendō, -ere, ostendī, ostentum show

P

paene *adv.* almost
parātus, -a, -um prepared, ready
pāreō, -ēre, paruī obey
parō, parāre, parāvī, parātum prepare
pars, partis *f.* part
parvus, -a, um small
pater, patris *m.* father
patria, -ae *f.* fatherland
paucī, -ae, -a few, a few
pāx, pācis *f.* peace
pecūnia, -ae *f.* money

pellō, -ere, pepulī, pulsum drive
per *prep.* through
perīculōsus, -a, -um dangerous
perīculum, -ī *n.* danger
perterreō, -ēre, -uī, -itum terrify thoroughly
perveniō, -īre, pervēnī, perventum come through, arrive
pēs, pedis *m.* foot
petō, -ere, petīvī or petiī, petītum seek
pictūra, -ae *f.* picture
pīlum, -ī *n.* javelin
poēta, -ae *m.* poet
pōnō, -ere, posuī, positum place, put, pitch (castra)
pōns, pontis *m.* bridge
populus, -ī *m.* a people
porta, -ae *f.* gate
portō, portāre, portāvī, portātum carry
portus, -ūs *m.* harbor
possum, posse, potuī be able
post *prep.* after, behind
posteā *adv.* afterward
posterus, -a, -um next, later
postulō, -āre, -āvī, -ātum demand
praeda, -ae *f.* booty
praemium, -ī *n.* reward
premō, -ere, pressī, pressum press, press hard
prīmus, -a, -um first
prō *prep.* in front of, in behalf of
probō, -āre, -āvī, -ātum prove; approve
prōcēdō, -ere, prōcessī, prōcessum go forward
proelium, -ī *n.* battle
prope *prep.* near
properō, -āre, -āvī, -ātum hasten
propter *prep.* on account of, because of
prōspectō, -āre, -āvī, -ātum look forth
pūblicus, -a, -um public
puella, -ae *f.* girl
puer, -ī *m.* boy
pugnō, -āre, -āvī, -ātum fight

pulcher, pulchra, pulchrum beautiful

putō, putāre, putāvī, putātum think

Q

quaestor, quaestōris *m.* quaestor, treasurer

quālis, -e of what sort?

quam *conj.* how! as; than

quamquam *conj.* although

quandō *adv. and conj.* when? when; since

quantus, -a, -um how great

quattuor four

-que *conj.* and

quī, quae, quod who, which, that

quīdam, quaedam, quoddam a certain

quiēs, quiētis *f.* rest, quiet, sleep

quis, quid who? what?

quō to which, whither

quod *conj.* because

quoque *adv.* also

quot how many?

R

rapiō, -ere, rapuī, raptum seize

recipiō, -ere, recēpī, receptum take back, receive

redeō, -īre, -iī or -īvī, -itum go back, return

rēgnum, -ī *n.* kingship, kingdom

regō, -ere, rēxī, rēctum rule

relinquō, -ere, relīquī, relictum leave, abandon

reliquus, -a, -um remaining, rest of

repellō, -ere, reppulī, repulsum drive back

reperiō, -īre, repperī, repertum find

rēs, reī *f.* thing

respondeō, respondēre, respondī, respōnsum reply

restituō, -ere, restituī, restitūtum restore

rēx, rēgis *m.* king

Rhēnus, -ī *m.* the Rhine

rīpa, -ae *f.* bank (of river)

rogō, -āre, -āvī, -ātum ask

Rōma, -ae *f.* Rome

Rōmānus, -a, -um Roman

rosa, -ae *f.* rose

ruīna, -ae *f.* downfall, collapse, ruin

rūs, rūris *n.* country

S

saepe *adv.* often

saevus, -a, -um fierce, savage

sagitta, -ae *f.* arrow

sagittārius, -ī *m.* archer

saltō, -āre, -āvī, -ātum dance

salūs, salūtis *f.* safety

salūtō, -āre, -āvī, -ātum greet, salute

salvē, salvēte hail

sapiēns, sapientis wise

satis enough

saxum, -ī *n.* rock

schola, -ae *f.* school

sciō, scīre, scīvī, scītum know

scrībō, scrībere, scrīpsī, scrīptum write

scūtum, -ī *n.* shield

secundus, -a, -um second

secūris, -is *f.* ax

sed *conj.* but

sedeō, sedēre, sēdī, sessum sit

semper *adv.* always

sentiō, -īre, sēnsī, sēnsum feel

septem seven

sērō *adv.* late, too late

sērus, -a, -um late

servō, -āre, -āvī, -ātum save

servus, -ī *m.* slave, servant

sī *conj.* if

sīc *adv.* so

Sicilia, -ae *f.* Sicily

signum, -ī *n.* sign, signal, standard

sileō, silēre, siluī be silent

silva, -ae *f.* woods, forest

sine *prep.* without

sinister, sinistra, sinistrum left

sinō, -ere, sīvī *or* siī, situm permit

socius, -ī *m.* ally
sōlus, -a, -um alone, only
somnus, -ī *m.* sleep
sonitus, -ūs *m.* sound
soror, sorōris *f.* sister
spectō, -āre, -āvī, -ātum look at
spērō, -āre, -āvī, -ātum hope →
splendidus, -a, -um shining
stabulum, -ī *n.* (standing-place), stall, stable
statim *adv.* immediately
stella, -ae *f.* star
stō, stāre, stetī, stātūrus stand
sub *prep.* under, from under, up to
subitō *adv.* suddenly
succēdō, -ere, successī, successum go up to, come next, succeed
suī *gen. case* of himself, of herself, of itself; of themselves
sum, esse, fuī, futūrus be
summus, -a, -um highest; top of
sūmō, -ere, sūmpsī, sūmptum take up, take
superō, -āre, -āvī, -ātum overcome
superus, -a, -um above, upper
suus, -a, -um his (own), her (own), its (own), their (own)

T

tabernāculum, -ī *n.* tent
tam *adv.* so
tamen *conj.* however, nevertheless
tandem *adv.* at last
tantus, -a, -um so great
tardus, -a, -um slow, lingering
tēctum, -ī *n.* house
tegō, tegere, tēxī, tēctum cover
tēlum, -ī *n.* weapon
tempus, temporis *n.* time
teneō, tenēre, tenuī, tentum hold
tergum, -ī *n.* back
terra, -ae *f.* land
tertius, -a, -um third
timeō, -ēre, timuī fear

timidus, -a, -um fearful, timid
tōtus, -a, -um whole
trāns *prep.* across
trānseō, -īre, -iī *or* -īvī, -itum go across
trēs, tria three
tū, tuī you
tum *adv.* then
tūtus, -a, -um safe
tuus, -a, -um your, yours

U

ubi *adv.* where?
ubi *conj.* when, where
ubīque *adv.* everywhere
ulterior, ulterius farther
umbra, -ae *f.* shade
umquam *adv.* ever
undique *adv.* from all sides; on all sides
ūnus, -a, -um one
urbs, urbis *f.* city
usque *adv.* all the way, up to
ut *conj.* as, when
uter, utra, utrum which (of two)?
uterque, utraque, utrumque each (of two)

V

valeō, valēre, valuī, valitūrus be strong; valē, valēte farewell
validus, -a, -um strong
vāllum, -ī *n.* earthworks
vāstō, -āre, -āvī, -ātum lay waste
veniō, venīre, vēnī, ventum come
vertō, -ere, vertī, versum turn
vesper, vesperī *m.* evening
vester, vestra, vestrum your, yours (referring to more than one person)
via, -ae *f.* road
victōria, -ae *f.* victory
videō, vidēre, vīdī, vīsum see; *pass* seem
vigil, vigilis *m.* watchman
vigilia, -ae *f.* watch

vincō, -ere, vīcī, victum conquer
vinculum, -ī n. bond, chain
vir, virī m. man
virtūs, virtūtis f. manliness, courage
vīs, vīs f. force, strength, energy
vīsitō, -āre, -āvī, -ātum visit

vīta, -ae f. life
vocō, -āre, -āvī, -ātum call
volō, velle, voluī wish
vōx, vōcis f. voice
vulnerō, -āre, -āvī, -ātum wound

SPECIAL VOCABULARY FOR SATURNALIA

bibō, -ere, bibī, pōtum drink

cēreus, -ī m. wax taper
Christus, -ī m. Christ

December, -bris, -bre of December

fēriae, -ārum f. holidays, festivals
flamma, -ae f. flame

Iānuārius, -a, -um of January
iō interj. ho, hurrah

Kalendae, -ārum f. Kalends

lūdus, -ī m. game

mēnsis, -is m. month

nāscor, nāscī, nātus sum be born

Sāturnālia, -iōrum n. Saturnalia, the
festival of Saturn
septimus, -a, -um seventh
sigilla, -ōrum n. little figures
Sigillāria, -ōrum n. feast of images

toga, -ae f. toga, the garment worn by
the Roman citizen

CPSIA information can be obtained
at www.ICGtesting.com
Printed in the USA
BVOW10s0213261117
500831BV00002B/122/P